200 plats
pour changer du quotidien

200 plats pour changer du quotidien

Joanna Farrow

marabout

Publié pour la première fois en Grande-Bretagne
en 2008 sous le titre 200 *one pot meals*.

Crédits photos © Octopus Publishing
Group Ltd/Lis Parsons.
Autres photos © Octopus Publishing Group Ltd/David
Loftus pages 33, 75, 109, 145, 225, 231 ;
Frank Adam pages 84, 92 ; Ian Wallace pages 19,
101, 183, 201 ; Lis Parsons pages 13, 35, 205,
235 ; William Lingwood pages 115, 123 ;
William Reavell pages 13, 109

Traduit de l'anglais par Christine Chareyre.
Mise en pages : les PAOistes.

Pour l'éditeur, le principe est d'utiliser des papiers
composés de fibres naturelles, renouvelables, recycla-
bles et fabriquées à partir de bois issus de forêts qui
adoptent un système d'aménagement durable.
En outre, l'éditeur attend de ses fournisseurs de papier
qu'ils s'inscrivent dans une démarche de certification
environnementale reconnue.

ISBN : 978-2-501-05777-6
Dépôt légal : mai 2009
40.4612.4 / 02
Imprimé en Espagne par Cayfosa-Impresia

sommaire

introduction

Un seul ustensile peut suffire à concocter des plats uniques et savoureux à base de viande, volaille, poisson ou légume. Potées et ragoûts nourrissants qui sentent bon la tradition, associations de saveurs inédites ou plats dont les noms évoquent des horizons lointains. Toutes les recettes proposées dans ce livre ont une chose en commun : une cuisson lente à feu doux, dans le four ou sur la table de cuisson, confère aux aliments une texture délicieusement fondante. Ces préparations culinaires ne manquent pas d'atouts : le travail, simplifié, se limite le plus souvent à faire rissoler quelques ingrédients au départ, avant d'ajouter les autres et de laisser cuire le tout. La corvée de vaisselle se réduit au minimum, comparée à celle d'un repas composé de plusieurs plats, et nécessitant l'emploi de divers ustensiles.

équipement

La qualité du matériel participe à la réussite de vos plats. Les recettes de ce livre font appel à une large gamme d'ustensiles : cocottes, poêles, sauteuses et woks, plats à four et plaques à rôtir. N'hésitez pas à investir dans du bon matériel : il vous fera un long usage et garantira de meilleurs résultats.

cocottes

Elles sont les plus pratiques pour le type de recettes proposées dans ce livre. Les cocottes permettent de préparer certains ingrédients sur la table de cuisson – faire dorer des oignons ou rissoler de la viande, par exemple – avant d'ajouter le reste, puis d'enfourner le tout. La cuisson à feu doux dans le four préserve la texture moelleuse des aliments. Une fois les ingrédients réunis dans la cocotte, ils peuvent cuire sans surveillance : avantage appréciable !

Des cocottes dotées de poignées résistantes à la chaleur sont disponibles dans diverses tailles, dans des matériaux solides, comme la fonte émaillée, qui se déclinent en une variété de couleurs. Si vous ne possédez pas d'ustensile conçu à la fois pour la table de cuisson et pour le four, commencez par dorer les aliments dans une poêle, puis transvasez-les dans une cocotte pour terminer la cuisson au four.

casseroles

Il vaut la peine d'investir dans des modèles de qualité, à fond épais. Ils ne se déformeront pas, et les préparations ne brûleront pas pendant la cuisson. Des matériaux qui conduisent bien la chaleur permettent de laisser les aliments cuire à feu doux sans qu'ils attachent au fond. Des casseroles, à revêtement antiadhésif, peuvent également être un bon choix, étant donné la commodité d'emploi et d'entretien qu'elles offrent. Pour les nettoyer, évitez toutefois le lave-vaisselle, même si elles sont prévues pour, afin de préserver leur aspect au mieux.

sauteuses

Larges et profondes, à parois hautes, elles sont pratiques pour les recettes nécessitant de faire rissoler de la viande ou du poisson avant d'ajouter des ingrédients liquides comme du bouillon ou du vin. Une grande poêle peut néanmoins suffire, à condition qu'elle soit dotée de parois suffisamment hautes pour éviter que les aliments ne passent par-dessus le bord lorsqu'on les remue.

poêles

Plusieurs recettes figurant dans cet ouvrage sont préparées dans une grande poêle à fond épais. On y fait tout d'abord dorer certains ingrédients (voir page 10), avant d'ajouter le reste. Certains modèles sont pourvus de couvercles, mais vous pouvez les remplacer par du papier d'aluminium que vous soudez au bord.

woks

Les woks se prêtent autant à la cuisson à la vapeur et à la friture, qu'aux recettes sautées ou mijotées. Leur forme arrondie est conçue pour favoriser la diffusion de la chaleur dans la totalité de l'ustensile de manière à obtenir une cuisson rapide et uniforme. Les woks sont tout indiqués pour les recettes faisant appel à une quantité d'ingrédients qu'une poêle ordinaire ne suffirait pas à contenir. Choisissez un wok à fond bien arrondi pour des brûleurs à gaz, à fond légèrement aplati pour des brûleurs électriques.

plats à four

Lorsque la préparation s'élabore dans un plat, sans qu'il soit nécessaire de frire les ingrédients au préalable, un plat à four suffisamment esthétique pour être présenté sur la table est la solution idéale.

plaques à rôtir

Les plaques à rôtir doivent supporter des températures très élevées, autant dans le four que sur la table de cuisson. Il est donc important de se procurer des articles de qualité pour éviter qu'ils ne se déforment et que les aliments n'attachent au fond. Certaines recettes exigent une plaque de grande dimension. Choisissez alors un modèle en fonction des dimensions de votre four. Certains, à parois hautes, sont munis de poignées qui permettent de les manipuler facilement.

techniques de base

La réussite des plats uniques tient souvent à une étape essentielle, qui consiste à frire certains ingrédients. Cette remarque vaut particulièrement dans le cas de la viande et de la volaille, l'opération ayant pour but de rehausser autant le goût que l'aspect des préparations. Les aliments sont souvent frits dans un mélange de beurre et d'huile, le beurre apportant sa saveur riche, tandis que l'huile l'empêchant de brûler.

Assurez-vous au préalable que les ingrédients sont bien secs – épongez-les si nécessaire entre plusieurs épaisseurs de papier absorbant. Salez, poivrez et saupoudrez-les de farine, lorsque la recette l'indique. Faites chauffer la matière grasse dans la cocotte ou dans la poêle. Ajoutez une partie des ingrédients à frire, en veillant à les espacer. (Si les morceaux sont trop serrés, ils cuiront à la vapeur dans leur jus.) Faites-les frire, en secouant légèrement l'ustensile, sans les retourner avant que le dessous ne soit bien doré. Retournez-les avec une spatule pour laisser dorer l'autre côté. Retirez-les à l'aide d'une écumoire avant de procéder de la même manière avec les ingrédients restants.

Dans certaines recettes, des pièces de viande ou de volaille entières doivent rissoler avant d'être mises à rôtir. Procédez de la même manière que ci-dessus, en retournant délicatement la pièce dans la matière grasse, et en prenant soin de faire dorer les extrémités.

ingrédients

Quelques ingrédients de base participent à la préparation des recettes de ce livre. Une sélection d'huiles, d'herbes, d'épices, de sauces et de condiments à portée de main vous permettra de jouer à loisir avec les saveurs et les parfums. Certains produits devant être réfrigérés une fois ouverts, vérifiez les instructions figurant sur l'emballage.

herbes aromatiques

Les herbes aromatiques apportent leurs notes de fraîcheur dans les préparations. Elles enrichissent de leurs délicieux arômes, subtils ou prononcés, les plats de viande, de poisson ou de légumes. Les feuilles coriaces – celles du laurier, du thym et du romarin, par exemple – s'ajoutent généralement au début de la cuisson, tandis que les herbes délicates, tels le basilic, la coriandre, l'aneth et l'estragon, s'utilisent à la fin.
Les herbes surgelées offrent une commodité d'emploi – la ciboulette, l'estragon, le fenouil et l'aneth se prêtant particulièrement à la congélation. Les restes d'un bouquet acheté ou l'excédent du jardin peuvent être congelés, préalablement hachés, dans des sacs prévus à cet effet, pour un usage ultérieur. Les herbes séchées paraissent souvent décevantes, comparées aux fraîches, car elles perdent rapidement leur parfum et leur couleur. Une exception toutefois : l'origan fait merveille dans les sauces tomate.

huiles

Pour frire les aliments, la plupart des recettes emploient de l'huile d'olive, indissociable de la cuisine méditerranéenne. Elle se décline dans une large gamme de couleurs et d'arômes, selon sa provenance et la variété des olives qui participent à sa fabrication. Réservez les huiles les plus délicates aux assaisonnements, une qualité inférieure suffisant pour frire les ingrédients. Certaines huiles d'olive

sont parfumées avec des aromates comme du basilic, de l'ail ou du piment. Elles conviennent également pour la friture, l'huile aromatisée au piment devant toutefois être utilisée avec modération. Lorsque la recette ne précise pas la variété d'huile, vous avez le choix entre des huiles courantes – tournesol, arachide ou maïs, par exemple. Pour les préparations au wok, les Asiatiques emploient parfois des huiles spéciales, relevées de condiments comme l'ail et le gingembre, mais une huile ordinaire peut tout aussi bien convenir.

pesto

On trouve désormais dans le commerce d'autres types de pesto que la spécialité italienne verte, bien connue, à base de basilic, pignons de pin, huile d'olive, ail et parmesan. Le pesto se décline dans des saveurs aussi diverses que les tomates séchées, le fenouil, les aubergines ou les noix. Une cuillerée de ce délicieux condiment suffit à rehausser une sauce légère, ou à improviser un plat rapide avec un ingrédient aussi simple que des pâtes.

épices

Un assortiment judicieux d'épices offre des possibilités d'interprétation multiples. Néanmoins, comme les herbes séchées, les épices se détériorent avec le temps. Avant de les employer, vérifiez qu'elles n'ont pas perdu leur arôme, et n'hésitez pas à les jeter le cas échéant. Pour des épices comme le cumin, la coriandre, le fenouil ou la cardamome, procurez-vous de préférence des graines entières que vous pilerez dans un mortier au fur et à mesure de vos besoins.

bouillons

Nombre de plats – qu'ils soient de poisson, de viande, de volaille ou de légumes – s'élaborent sur la base d'un bouillon savoureux et parfumé. Il en existe une large variété dans le commerce, dans diverses présentations – cubes, granulés, poudres et liquides. Rien de tel, néanmoins, qu'un bouillon que l'on prépare soi-même. Quelques minutes suffisent à réunir les ingrédients nécessaires, après quoi le bouillon cuit tout seul. Il ne reste plus qu'à le filtrer et à le laisser refroidir avant de l'entreposer dans des sacs ou des récipients à congélation. Vous disposez ainsi d'une réserve de bouillon pour 3 à 6 mois.

purée de tomates

Ingrédient indispensable dans tout placard à épicerie, la purée de tomates enrichit de nombreuses préparations de sa saveur et de sa couleur riches. Plus douce, la version à base de tomates séchées convient particulièrement aux plats méditerranéens.

accompagnements

Les recettes proposées dans cet ouvrage ont pour spécificité de se concocter dans un seul ustensile – poêle, plat, wok ou cocotte. Rien ne vous empêche, néanmoins, de compléter ces plats uniques avec un accompagnement tel qu'une purée de pommes de terre veloutée ou des légumes croquants. Une solution simple consiste à préparer une salade verte ou variée. À moins que, par commodité ou pour satisfaire de gros appétits, vous préfériez griller quelques tartines de bon pain.

Le placard à épicerie s'avérera une bonne source d'inspiration. Vous pouvez par exemple réchauffer des nouilles spécial wok selon les instructions du paquet, ou les mélanger dans le plat juste avant de servir. La préparation du couscous se réduit à un jeu d'enfant. Pour 4 personnes, versez 250 g de semoule de couscous dans un saladier résistant à la chaleur 10 minutes avant la fin de la cuisson de votre plat. Versez 300 ml d'eau ou de bouillon bouillants, couvrez et laissez reposer environ 10 minutes jusqu'à ce que le liquide soit entièrement absorbé. Séparez les grains à la fourchette. Salez, poivrez, ajoutez les condiments de votre choix – zeste de citron râpé, diverses graines grillées, filaments de safran, herbes ciselées ou huiles parfumées. Pour du boulgour, procédez de la même manière, en comptant environ 20 minutes pour que le liquide soit absorbé. Certaines recettes proposent un accompagnement que vous pouvez préparer au gré de vos envies.

volaille + gibier

poulet rôti façon thaïe

Pour **3 ou 4 personnes**
Préparation **15 minutes**
Cuisson **1 h 35**

1 **poulet** de 1,25 kg
1 c. à s. de **sept-épices thaï**
2 c. à s. d'**huile végétale**
3 gousses d'**ail** pilées
1 **piment rouge fort**, épépiné et émincé
40 g de **gingembre frais** finement haché
200 ml de **bouillon de poule** (voir ci-dessous)
2 **tiges de citronnelle** hachées
1 c. à s. de **sauce de poisson**
1 c. à s. de **sucre en poudre**
2 c. à s. de **jus de citron vert**
50 g de **coriandre** + quelques feuilles pour décorer
1 botte d'**oignons blancs**
½ c. à c. de **curcuma**
400 ml de **lait de coco**
200 g d'**épinards**
300 g de **nouilles de riz** spécial wok

Frottez la peau du poulet avec le sept-épices. Faites chauffer l'huile dans une cocotte, puis faites dorer le poulet. Ajoutez l'ail, le piment, le gingembre, et faites revenir 1 minute. Versez le bouillon et portez à ébullition. Couvrez et faites cuire 45 minutes dans le four préchauffé à 180 °C.

Mélangez dans le bol d'un robot la citronnelle, la sauce de poisson, le sucre et le jus de citron vert. Hachez la coriandre et les oignons avant de les incorporer dans le bol avec le curcuma. Mixez finement. Ajoutez le lait de coco et continuez à mixer jusqu'à obtention d'une préparation lisse.

Versez le lait de coco épicé sur le poulet, puis enfournez de nouveau 45 minutes.

Sortez la cocotte du four. Ajoutez les épinards et les nouilles dans la sauce, autour du poulet. Laissez reposer 10 minutes avant de servir.

Bouillon de poule Mettez dans une grande casserole la carcasse et les abats d'un poulet, ainsi que les sucs caramélisés provenant de la cuisson. Ajoutez 1 gros oignon non pelé coupé en deux, 1 carotte coupée en morceaux, 1 branche de céleri grossièrement hachée, quelques feuilles de laurier et 1 cuillerée à café de grains de poivre. Couvrez d'eau froide et portez à frémissement. Laissez cuire 1 h 30 à feu très doux, à découvert. Filtrez à travers un chinois et laissez refroidir avant emploi.

canard sauce miel kumquat

Pour **4 personnes**
Préparation **15 minutes**
Cuisson **1 heure**

4 **cuisses de canard**
½ c. à c. de **cinq-épices chinois**
300 ml de **jus d'orange** fraîchement pressé
2 c. à s. de **miel** liquide
2 **clous de girofle**
1 c. à c. de **Cointreau** ou de **cognac**
10 **kumquats** coupés en rondelles
1 c. à s. de **persil** haché
sel et **poivre**

Posez les cuisses de canard sur une grille, dans une plaque à rôtir. Assaisonnez avec le sel, le poivre, le cinq-épices, puis faites cuire 35 minutes dans le four préchauffé à 220 °C.

Au bout de 10 minutes de cuisson, ajoutez le jus d'orange, le miel, les clous de girofle, le Cointreau ou le cognac et les kumquats dans la plaque à rôtir, sous la grille. Enfournez de nouveau 25 minutes.

Sortez la plaque du four, retirez la grille et disposez le canard dans la sauce. Laissez frémir 10 minutes à feu doux sur la table de cuisson.

Ajoutez le persil dans la sauce, puis découpez le canard en tranches épaisses. Servez bien chaud avec des pommes de terre cuites à l'eau et des haricots verts.

Poulet sauce miel-pamplemousse rose Prenez la même quantité de poulet que de canard. Remplacez le jus d'orange par la même quantité de jus de pamplemousse, les kumquats par 2 pamplemousses roses détaillés en quartiers. Ajoutez 3 cuillerées à soupe de miel et faites cuire comme indiqué ci-dessus.

canard braisé aux aromates

Pour **4 personnes**
Préparation **25 minutes**
Cuisson **2 heures**

4 morceaux de **canard**
2 c. à c. de **cinq-épices chinois**
2 **tiges de citronnelle** écrasées
5 gousses d'**ail** écrasées
4 **échalotes** hachées
125 g de **champignons shiitake** séchés, trempés 30 minutes dans l'eau
5 cm de **gingembre frais**, pelé et détaillé en julienne
600 ml de **bouillon de poule** (page 16)
25 g de **nèfles** ou de **dattes chinoises** rouges séchées
15 g de **champignons noirs** séchés, coupés en morceaux
1 c. à s. de **sauce de poisson**
2 c. à c. de **Maïzena**
4 **oignons blancs** coupés en quatre
sel et **poivre**
1 poignée de **coriandre** pour décorer

Assaisonnez les morceaux de canard avec le cinq-épices. Faites-les dorer sur la peau dans une cocotte bien chaude, en les retournant. Ajoutez la citronnelle, l'ail, les échalotes, les champignons et le gingembre. Couvrez le canard avec le bouillon de poule, puis laissez frémir 1 h 30 à couvert, à feu très doux.

Sortez le canard de la cocotte. Ajoutez les nèfles ou les dattes chinoises, les champignons noirs et la sauce de poisson. Salez et poivrez. Délayez la Maïzena dans de l'eau avant de l'ajouter dans la cocotte. Portez la sauce à ébullition, en remuant constamment, et laissez-la réduire. Remettez le canard dans la cocotte, puis prolongez la cuisson de 30 minutes à feu doux.

Incorporez les oignons blancs dans la sauce puis décorez le canard de coriandre.

Pak choï à servir en accompagnement Faites chauffer 1 cuillerée à soupe d'huile d'olive à feu vif dans une sauteuse antiadhésive. Ajoutez progressivement les feuilles d'un pak choï de 500 g, en remuant de temps en temps. Faites cuire 2 à 3 minutes à couvert jusqu'à ce que les feuilles commencent à flétrir. Dans un bol, mélangez 1 cuillerée à café de sauce de tamarin, 1 cuillerée à soupe de vin de riz chinois et 3 cuillerées à soupe de bouillon de légumes (page 190). Ajoutez ½ cuillerée à soupe de Maïzena délayée dans 1 cuillerée à soupe d'eau, puis versez le tout sur le pak choï. Laissez réduire la sauce sans cesser de remuer.

poulet farci au beurre et à l'ail

Pour **4 personnes**
Préparation **25 minutes**
Cuisson **40 minutes**

50 g de **chapelure**
3 c. à s. d'**huile d'olive**
4 **blancs de poulet** sans la peau
25 g de **beurre** ramolli
50 g de **fromage frais**
2 gousses d'**ail** pilées
le **zeste** de 1 **citron** finement râpé
4 c. à s. de **persil** haché
150 g de **haricots verts** coupés en tronçons de 3 cm
400 g de **flageolets** en boîte, égouttés
200 ml de **vin blanc**
sel et **poivre**

Faites dorer la chapelure à feu doux dans 1 cuillerée à soupe d'huile d'olive, dans une cocotte. Égouttez-la ensuite sur du papier absorbant. Ouvrez les blancs de poulet par le milieu de manière à pouvoir les farcir.

Travaillez le beurre avec le fromage frais, l'ail, le zeste de citron, 1 cuillerée à soupe de persil. Salez et poivrez. Farcissez les blancs de poulet de ce mélange et fermez-les à l'aide de pics à cocktail.

Faites chauffer le reste d'huile dans la cocotte pour faire dorer le poulet uniformément, puis égouttez-le. Mettez les haricots verts et les flageolets dans la cocotte, versez le vin, salez et poivrez. Posez le poulet dessus.

Couvrez et faites cuire 20 minutes dans le four préchauffé à 190 °C. Sortez la cocotte du four et saupoudrez le poulet de chapelure. Enfournez 10 minutes, sans couvrir.

Dressez le poulet sur des assiettes. Incorporez le persil restant aux légumes et disposez le tout à côté du poulet. Accompagnez ce plat de pommes de terre rôties à l'ail.

Pommes de terre rôties à l'ail Faites chauffer 50 ml d'huile d'olive dans une plaque à rôtir, dans le four préchauffé à 230 °C. Coupez 750 g de pommes de terre en quatre. Ajoutez-les dans l'huile chaude avec 2 cuillerées à soupe de romarin haché, en remuant, puis enfournez 20 minutes. Sortez la plaque du four, retournez les pommes de terre. Parsemez de 4 gousses d'ail émincées et enfournez de nouveau 10 à 20 minutes.

dhal au poulet, gombos lentilles corail

Pour **4 personnes**
Préparation **15 minutes**
Cuisson **45 minutes**

2 c. à c. de **cumin en poudre**
1 c. à c. de **coriandre en poudre**
½ c. à c. de **piment de Cayenne**
¼ de c. à c. de **curcuma en poudre**
500 g de chair de **cuisses de poulet** sans la peau, coupée en gros morceaux
3 c. à s. d'**huile végétale**
1 **oignon** émincé
2 gousses d'**ail** pilées
25 g de **gingembre frais** finement haché
750 ml d'**eau**
300 g de **lentilles corail** rincées
200 g de **gombos**
1 petite poignée de **coriandre** ciselée
sel
quartiers de **citron vert** pour servir

Mélangez le cumin, la coriandre, le piment de Cayenne et le curcuma pour en enrober les morceaux de poulet.

Faites chauffer l'huile dans une sauteuse. Faites dorer les morceaux de poulet en plusieurs fois, en les égouttant avant de les déposer sur une assiette. Faites revenir l'oignon 5 minutes dans la sauteuse. Ajoutez l'ail, le gingembre, et prolongez la cuisson de 1 minute.

Remettez le poulet dans la sauteuse puis versez l'eau. Portez à ébullition, puis laissez frémir 20 minutes à feu très doux, à couvert. Lorsque le poulet est cuit, incorporez les lentilles et prolongez la cuisson de 5 minutes. Ajoutez les gombos puis la coriandre. Salez et faites cuire 5 minutes de plus ; les lentilles doivent être tendres, mais légèrement fermes.

Vérifiez l'assaisonnement avant de servir dans des bols individuels avec des quartiers de citron vert, du chutney et des pappadums.

Dhal poulet-courgettes-piment Remplacez les gombos par 3 courgettes moyennes, détaillées en fines rondelles. Ajoutez 1 piment rouge de force moyenne, finement émincé, en même temps que l'ail et le gingembre.

tortillas épicées à la dinde et au piment

Pour **4 personnes**
Préparation **15 minutes**
Cuisson **40 minutes**

1 c. à c. de **piment doux en poudre**
½ c. à c. de **cumin en poudre**
1 c. à c. de **thym** effeuillé
625 g de **filets de dinde** détaillés en cubes
4 **piments** variés, épépinés et coupés en gros morceaux
2 **oignons rouges** émincés
4 c. à s. d'**huile d'olive**
2 grosses **courgettes** détaillées en bâtonnets
1 c. à c. de **Maïzena**
2 c. à s. de **vinaigre de vin rouge** ou **blanc**
2 c. à s. de **miel** liquide
2 c. à s. de **purée de tomates séchées**
quelques gouttes de **Tabasco**
4 c. à s. d'**eau**
50 g d'**ananas** séché, haché
4 **tortillas de blé** chaudes
sel

Mélangez le piment en poudre avec le cumin, le thym et un peu de sel puis enrobez-en les filets de dinde. Disposez-les dans une grande plaque à rôtir avec les piments et les oignons.

Arrosez d'huile et remuez légèrement. Faites cuire 15 minutes dans le four préchauffé à 220 °C. Sortez la plaque pour ajouter les courgettes, puis enfournez de nouveau 20 minutes.

Délayez la Maïzena dans le vinaigre. Ajoutez le miel, la purée de tomates séchées et le Tabasco. Salez et incorporez ce mélange dans la plaque avec l'eau. Éparpillez l'ananas à la surface, puis poursuivez la cuisson 2 à 3 minutes. La sauce doit épaissir pour enrober la viande et les légumes. Répartissez la préparation sur les tortillas chaudes, roulez et servez.

Tortillas épicées aux patates douces Remplacez les filets de dinde par 650 g de patates douces, coupées en fines rondelles et enrobées de préparation au piment, comme ci-dessus. Remplacez les oignons rouges par quelques oignons blancs hachés, les courgettes par 1 petite aubergine finement émincée. Ajoutez l'aubergine avec les piments et les oignons au bout de 15 minutes de cuisson.

biryani

Pour **4 personnes**
Préparation **25 minutes**
Cuisson **40 minutes**

3 **oignons**
2 gousses d'**ail** hachées
25 g de **gingembre frais**
2 c. à c. de **curcuma en poudre**
¼ de c. à c. de **girofle en poudre**
½ c. à c. de **flocons de piment séché**
¼ de c. à c. de **cannelle en poudre**
2 c. à c. de **pâte de curry** de force moyenne
1 c. à s. de **jus de citron**
2 c. à c. de **sucre**
300 g de **blancs de poulet, filets de dinde** ou **épaule d'agneau**, détaillés en petits morceaux
6 c. à s. d'**huile végétale**
1 petit **chou-fleur** détaillé en bouquets
2 **feuilles de laurier**
300 g de **riz basmati**
750 ml de **bouillon de poule** ou **de légumes** (pages 16 et 190)
1 c. à s. de **graines d'oignon noires**
sel et **poivre**
2 c. à s. d'**amandes** effilées

Au robot, mixez 1 oignon grossièrement haché, l'ail, le gingembre haché, le curcuma, le girofle, les flocons de piment, la cannelle, la pâte de curry, le jus de citron, le sucre, du sel et du poivre. Transvasez dans un saladier. Incorporez la viande.

Faites chauffer 5 cuillerées à soupe d'huile dans une grande poêle et faites frire le deuxième oignon émincé. Ensuite, égouttez-le sur du papier absorbant.

Hachez le troisième oignon. Faites revenir le chou-fleur dans la poêle 5 minutes. Incorporez l'oignon haché et faites-le dorer 5 minutes. Égouttez.

Faites chauffer le reste d'huile dans la poêle, puis faites rissoler la préparation à la viande 5 minutes, en remuant.

Ajoutez le laurier, le riz, le bouillon et portez à ébullition. Laissez frémir 10 à 12 minutes à feu très doux, en remuant de temps en temps. Mouillez si nécessaire la préparation avec de l'eau si elle s'assèche avant que le riz soit cuit. Ajoutez les graines d'oignon. Remettez le chou-fleur dans la sauteuse et laissez chauffer.

Dressez le biryani sur des assiettes, décorez d'oignons frits et d'amandes. Servez avec une raïta au concombre.

Raïta au concombre et à la menthe Mélangez 175 g de yaourt, 75 g de concombre épépiné et râpé, 2 cuillerées à soupe de menthe ciselée, 1 pincée de cumin en poudre, du jus de citron. Salez et laissez reposer 30 minutes.

ragoût de venaison aux marrons

Pour **6 personnes**
Préparation **30 minutes**
Cuisson **2 h 30**

2 c. à s. de **farine**
875 g de **venaison à braiser** coupée en petits morceaux
10 baies de **genièvre**
3 c. à s. d'**huile végétale**
150 g de **lardons**
1 gros **oignon** haché
3 **carottes** coupées en rondelles
1 c. à c. de **girofle en poudre**
300 ml de **vin rouge**
200 ml de **fond de gibier** (voir ci-dessous) ou de **bouillon de poule** (page 16)
1 c. à s. de **vinaigre de vin rouge**
2 c. à s. de **gelée de groseille**
350 g de marrons cuits
1 kg de grosses pommes de terre coupées en fines rondelles
2 c. à c. de **romarin** haché
40 g de **beurre** ramolli
sel et **poivre**

Salez et poivrez la farine avant d'en enrober la viande. Écrasez les baies de genièvre dans un mortier.

Faites chauffer l'huile dans une grande cocotte. Faites rissoler la viande en plusieurs fois, en la déposant au fur et à mesure sur un plat. Faites ensuite dorer les lardons, l'oignon et les carottes 5 minutes.

Ajoutez dans la cocotte les baies de genièvre, le girofle, le vin, le bouillon, le vinaigre, la gelée de groseille, et portez à ébullition. Baissez le feu puis incorporez les marrons et la viande.

Couvrez et faites cuire 1 heure dans le four préchauffé à 160 °C. Vérifiez l'assaisonnement puis ajoutez les pommes de terre. Couvrez et poursuivez la cuisson 30 minutes.

Mélangez le romarin avec le beurre, du sel et du poivre pour en enrober les pommes de terre. Enfournez de nouveau 45 minutes sans couvrir.

Fond de gibier Faites dorer 15 minutes 500 g de parures et os de gibier (de faisan ou de pigeon) dans une plaque à rôtir, dans le four préchauffé à 200 °C. Mettez-les dans une casserole avec 1 oignon non pelé haché, 1 carotte coupée en morceaux, 2 branches de céleri hachées, 150 ml de vin rouge, 1 cuillerée à café de baies de genièvre et 3 feuilles de laurier. Couvrez d'eau. Portez au point de frémissement et faites mijoter 1 h 30 à feu très doux. Filtrez à travers un chinois, puis laissez refroidir.

soupe de nouilles au poulet

Pour **4 à 6 personnes**
Préparation **20 minutes**
+ repos
Cuisson **30 minutes**

300 g de **blancs de poulet** sans la peau
1 c. à c. de **curcuma en poudre**
2 c. à c. de **sel**
2 **tiges de citronnelle**
3 c. à s. de **cacahuètes** pelées et grillées
3 c. à s. de **riz à longs grains**
2 c. à s. d'**huile végétale**
1 **oignon** haché
3 gousses d'**ail** pilées
5 cm de **gingembre frais**, pelé et finement haché
¼ de c. à c. de **paprika**
1 **piment-oiseau** rouge fort, haché
2 c. à s. de **sauce de poisson**
900 ml d'**eau**
250 g de **nouilles de blé** spécial wok (somen)

Pour décorer
3 **œufs durs** coupés en deux
2 c. à s. de **coriandre fraîche** ciselée
quelques **oignons blancs** détaillés en lamelles

Détaillez les blancs de poulet en cubes de 2 cm. Mélangez le curcuma avec le sel pour en enrober le poulet. Laissez reposer 30 minutes.

Écrasez la citronnelle avec un rouleau à pâtisserie pour libérer son arôme. Broyez finement les cacahuètes dans un robot ou un mortier. Faites dorer le riz dans une poêle à sec, puis réduisez-le en fine poudre à l'aide d'un robot ou d'un moulin à épices.

Faites chauffer l'huile dans une sauteuse et faites suer l'oignon. Ajoutez le poulet avec l'ail, le gingembre, la citronnelle, le paprika et le piment. Versez la sauce de poisson et l'eau, puis portez à ébullition.

Baissez le feu au point de frémissement. Mélangez les cacahuètes et le riz avant de les ajouter dans la sauteuse. Laissez frémir 10 à 15 minutes jusqu'à ce que le poulet soit cuit et le bouillon légèrement réduit.

Incorporez les nouilles et faites chauffer 1 minute.

Répartissez la soupe dans des bols. Garnissez d'œuf dur, de coriandre et d'oignon. Ajoutez un trait de sauce de poisson avant de servir.

Soupe de nouilles aux crevettes Remplacez le poulet par 400 g de crevettes crues décortiquées. Faites-les cuire avec les nouilles jusqu'à ce qu'elles soient roses. Remplacez les nouilles de blé par des nouilles de riz et ne mettez pas d'œufs durs.

pilaf au poulet et aux noix piquantes

Pour **4 personnes**
Préparation **20 minutes**
Cuisson **35 minutes**

400 g de chair de **cuisses de poulet** sans la peau, coupée en petits morceaux
2 c. à c. de **mélange d'épices marocain** (voir ci-contre)
4 c. à s. d'**huile d'olive**
50 g de **pignons de pin**
1 gros **oignon** haché
3 gousses d'**ail** émincées
½ c. à c. de **curcuma en poudre**
250 g de mélange de **riz sauvage et à longs grains**
300 ml de **bouillon de poule** (page 16)
3 morceaux de **gingembre confit** finement haché
3 c. à s. de **persil** ciselé
2 c. à s. de **menthe** hachée
50 g de **noix confites** émincées
sel et **poivre**

Enrobez les morceaux de poulet avec le mélange d'épices et salez.

Faites chauffer l'huile dans une sauteuse et faites dorer les pignons de pin. Déposez-les sur une assiette à l'aide d'une écumoire.

Faites rissoler les morceaux de poulet 6 à 8 minutes dans la sauteuse.

Ajoutez l'oignon et faites-le frire 5 minutes. Incorporez l'ail, le curcuma, et poursuivez la cuisson 1 minute. Ajoutez le riz et le bouillon, puis portez à ébullition. Baissez le feu au minimum, puis laissez frémir environ 15 minutes jusqu'à ce que le riz soit tendre et le bouillon absorbé. Mouillez avec de l'eau si le liquide est absorbé avant que le riz soit cuit.

Ajoutez le gingembre, le persil, la menthe, les noix et les pignons de pin. Salez, poivrez et laissez chauffer 2 minutes avant de servir.

Mélange d'épices marocain Pilez ½ cuillerée à café de graines de fenouil, ½ cuillerée à café de graines de cumin, ½ cuillerée à café de graines de coriandre et ½ cuillerée à café de graines de moutarde, puis ajoutez ¼ de cuillerée à café de girofle en poudre et ¼ de cuillerée à café de cannelle en poudre.

poulet aux champignons et polenta

Pour **4 personnes**
Préparation **20 minutes**
Cuisson **55 minutes**

25 g de **beurre**
1 **oignon** haché
500 g de **poulet** coupé en dés
250 g de **champignons** émincés
2 c. à c. de **farine**
150 ml de **bouillon de poule** (page 16)
1 c. à s. de **moutarde à l'ancienne**
4 c. à s. de **persil** ciselé
100 ml de **crème liquide**
200 g de **haricots de soja frais** ou 400 g de **flageolets** en boîte, égouttés
500 g de **polenta cuite**
50 g de **gruyère** râpé
sel et **poivre**

Faites fondre le beurre dans une cocotte, puis faites rissoler l'oignon et le poulet 6 à 8 minutes, en remuant.

Incorporez les champignons et faites-les sauter 5 minutes. Saupoudrez de farine puis ajoutez le bouillon, la moutarde et le persil. Salez et poivrez. Portez à ébullition, puis baissez le feu et ajoutez la crème liquide et les haricots de soja ou les flageolets.

Coupez la polenta en fines tranches. Disposez celles-ci sur le poulet, en les faisant se chevaucher. Saupoudrez de gruyère et de poivre.

Faites cuire 30 à 40 minutes dans le four préchauffé à 190 °C jusqu'à ce que le fromage fonde et commence à dorer. Servez avec une salade verte.

Poulet aux champignons avec toasts au fromage
Remplacez la polenta par 8 tranches de pain fines. Disposez-les sur le poulet, saupoudrez de fromage. Faites cuire comme ci-dessus jusqu'à ce que le fromage fonde et que le pain commence à dorer.

stifado

Pour **3 ou 4 personnes**
Préparation **20 minutes**
Cuisson **2 h 30**

½ c. à c. de **poivre noir** au moulin
½ c. à c. de **poivre de la Jamaïque**
2 c. à c. de **romarin** haché
1 **lapin** d'environ 800 g coupé en morceaux
3 c. à s. d'**huile d'olive**
3 gros **oignons** émincés
2 c. à c. de **sucre en poudre**
3 gousses d'**ail** pilées
75 ml de **vinaigre de vin rouge**
300 ml de **vin rouge**
50 g de **purée de tomates**
sel
persil plat pour décorer

Mélangez le poivre noir, le poivre de la Jamaïque et le romarin avant d'en enrober le lapin.

Faites chauffer l'huile dans une grande cocotte et faites rissoler les morceaux de lapin en plusieurs fois. Déposez-les au fur et à mesure sur un plat à l'aide d'une écumoire.

Faites caraméliser les oignons avec le sucre pendant 15 minutes, en remuant. Incorporez l'ail et poursuivez la cuisson 1 minute.

Versez le vinaigre et le vin dans la cocotte. Portez à ébullition, puis faites cuire jusqu'à ce que la préparation réduise d'environ un tiers. Ajoutez la purée de tomates, un peu de sel, et remettez le lapin dans la cocotte.

Couvrez et faites cuire 2 heures dans le four préchauffé à 150 °C. La viande doit être très tendre, la sauce épaisse et brillante. Vérifiez l'assaisonnement et parsemez de persil. Accompagnez ce plat de salade grecque.

Salade grecque Dans un saladier, mélangez 6 tomates concassées, 1 concombre coupé en grosses rondelles, ½ petit oignon rouge finement émincé et 125 g d'olives de Kalamata. Arrosez d'huile d'olive et de jus de citron. Émiettez 200 g de feta sur la salade.
Poivrez généreusement.

poblano dinde piment

Pour **6 personnes**
Préparation **25 minutes**
Cuisson **1 heure**

125 g d'**amandes** effilées
50 g de **cacahuètes**
½ c. à s. de **graines de coriandre**
1 c. à c. de **girofle en poudre**
3 c. à s. de **graines de sésame**
½ **bâton de cannelle**
1 c. à c. de **graines de fenouil** ou **d'anis**
4 gros **piments séchés**
1 **piment jalapeño vert** haché
400 g de **tomates** en boîte
75 g de **raisins secs**
6 c. à s. d'**huile végétale**
2 **oignons** hachés finement
3 gousses d'**ail** pilées
625 g de **filets de dinde** détaillés en fines tranches ou en cubes
300 ml de **bouillon de légumes** (page 190)
50 g de **chocolat noir amer** haché grossièrement
piments rouges et verts hachés finement pour décorer

Mettez sur une plaque de cuisson les amandes, les cacahuètes, la coriandre, le girofle, le sésame, la cannelle, le fenouil ou l'anis et les piments séchés. Faites cuire 10 minutes dans le four préchauffé à 200 °C, en remuant une ou deux fois.

Réduisez les graines et les épices en fine poudre à l'aide d'un robot. Ajoutez le piment jalapeño et mixez de nouveau. Transvasez la préparation dans un saladier. Ajoutez les tomates et les raisins secs.

Faites chauffer l'huile dans une grande casserole, puis faites dorer uniformément les oignons et l'ail avec la dinde. Retirez la dinde et réservez-la.

Ajoutez la préparation aux épices dans la casserole. Faites chauffer 5 à 6 minutes, en remuant, jusqu'à la formation de bulles. Ajoutez le bouillon et le chocolat, et laissez fondre celui-ci à feu doux.

Baissez le feu et remettez la dinde dans la casserole, mélangez intimement. Laissez frémir 30 minutes à feu doux, à couvert, en mouillant avec de l'eau si la sauce réduit trop. Décorez de morceaux de piment rouge et vert. Accompagnez ce plat de riz à la mexicaine.

Riz à la mexicaine Dans une casserole, faites revenir 325 g de riz basmati pendant 5 minutes dans 2 cuillerées à soupe d'huile chaude. Ajoutez 200 g de tomates concassées, 1 gousse d'ail écrasée, 50 g de carotte coupée en dés et 1 piment vert haché. Portez à ébullition, puis laissez frémir 10 minutes.

canard aux légumes de printemps

Pour **4 personnes**
Préparation **20 minutes**
Cuisson **1 h 45**

4 **cuisses de canard**
2 c. à c. de **farine**
25 g de **beurre**
1 c. à s. d'**huile d'olive**
2 **oignons** émincés
2 tranches de **lard** finement détaillées
2 gousses d'**ail** pilées
150 ml de **vin blanc**
300 ml de **bouillon de poule** (page 16)
3 **feuilles de laurier**
500 g de petites **pommes de terre nouvelles**
200 g de **petits pois** frais
150 g de pointes d'**asperges**
2 c. à s. de **menthe** hachée
sel et **poivre**

Coupez les cuisses de canard en deux à la jointure. Salez et poivrez la farine puis enrobez-en le canard.

Faites fondre le beurre avec l'huile dans une cocotte ou une plaque à rôtir. Faites rissoler les morceaux de canard 10 minutes à feu doux. Déposez-les sur un plat à l'aide d'une écumoire, puis videz la matière grasse de la plaque, à l'exception de 1 cuillerée à soupe.

Faites frire les oignons et les lardons 5 minutes dans la plaque. Ajoutez l'ail et faites-le dorer 1 minute. Versez le vin, le bouillon, parfumez avec le laurier, puis portez à ébullition, en remuant. Remettez les morceaux de canard dans la plaque et couvrez avec un couvercle ou du papier d'aluminium. Faites cuire 45 minutes dans le four préchauffé à 160 °C.

Incorporez les pommes de terre dans la plaque en les enrobant de jus de cuisson. Salez et enfournez de nouveau 30 minutes.

Ajoutez les petits pois, les pointes d'asperges et la menthe dans la plaque, puis poursuivez la cuisson au four 15 minutes. Lorsque les légumes sont tendres, vérifiez l'assaisonnement et servez.

Poulet de printemps braisé Remplacez les cuisses de canard par des cuisses de poulet et ne mettez pas de lard. Ajoutez les légumes suivants à la place des petits pois, des asperges et de la menthe : 200 g de petits navets, 100 g de petites carottes, 2 petites courgettes coupées en rondelles.

poulet à l'aigre-douce

Pour **4 personnes**
Préparation **10 minutes**
Cuisson **45 minutes**

2 c. à s. d'**huile d'olive**
4 **blancs de poulet** de 150 g chacun
8 **abricots** coupés en deux et dénoyautés
2 **poires** pelées, coupées en quatre et évidées
500 g de **pommes de terre nouvelles**
1 **oignon** coupé en quartiers
le **zeste** râpé et le **jus** de 2 **oranges**
quelques brindilles de **thym** effeuillées
1 c. à s. de **moutarde à l'ancienne**
1 c. à s. de **miel** liquide
4 c. à s. de **crème fraîche**
sel et **poivre**

Faites chauffer l'huile dans une cocotte. Salez et poivrez le poulet avant de l'ajouter dans la cocotte. Faites-le dorer 2 à 3 minutes de chaque côté, puis incorporez les abricots, les poires, les pommes de terre et l'oignon.

Mélangez dans un saladier le jus et le zeste d'orange, le thym, la moutarde et le miel. Versez la préparation sur le poulet. Couvrez de papier d'aluminium et faites cuire 40 minutes dans le four préchauffé à 180 °C. Retirez le papier à la moitié de la cuisson.

Lorsque le poulet est cuit, ajoutez la crème fraîche dans la sauce avant de servir. Servez avec des épinards aux pignons et raisins secs si vous le souhaitez.

Épinards aux pignons de pin et raisins secs Faites tremper 65 g de raisins 5 minutes dans de l'eau bouillante, dans un petit saladier résistant à la chaleur. Pendant ce temps, faites dorer 50 g de pignons de pin dans 3 cuillerées à soupe d'huile d'olive chaude, dans une poêle. Ajoutez 2 gousses d'ail pilées. Égouttez les raisins avant de les ajouter dans la poêle avec 625 g d'épinards. Remuez pendant 1 minute. Parfumez avec du zeste de citron, salez et poivrez.

poulet au citron et aux olives

Pour **4 personnes**
Préparation **20 minutes**
Cuisson **1 heure**

1 **poulet** de 1,5 kg
4 c. à s. d'**huile d'olive**
12 **oignons grelots** pelés, entiers
2 gousses d'**ail** pilées
1 c. à c. de **cumin**
1 c. à c. de **gingembre**
1 c. à c. de **curcuma**
½ c. à c. de **cannelle**
450 ml de **bouillon de poule** (page 16)
125 g d'**olives de Kalamata**
1 **citron confit** haché (l'**écorce** uniquement)
2 c. à s. de **coriandre** ciselée
sel et **poivre**

Découpez le poulet en 8 morceaux (ou demandez à votre boucher de le faire pour vous). Faites chauffer l'huile d'olive dans une cocotte et faites dorer le poulet. Retirez les morceaux de poulet à l'aide d'une écumoire et réservez-les.

Faites dorer légèrement les oignons, l'ail et les épices pendant 10 minutes dans la cocotte. Remettez le poulet dans la cocotte, versez le bouillon et portez à ébullition. Laissez frémir 30 minutes à couvert.

Ajoutez les olives, le citron, la coriandre, et poursuivez la cuisson 15 à 20 minutes. Goûtez et rectifiez l'assaisonnement si nécessaire. Servez avec le couscous vert.

Couscous vert Mélangez 150 ml d'huile d'olive et 50 ml de jus de citron dans un shaker pour sauce à salade. Salez et poivrez. Mettez 250 g de couscous cuit (page 13) dans un plat chaud. Ajoutez quelques oignons blancs hachés, 50 g de roquette ciselée, ½ concombre coupé en deux, épépiné et haché. Versez l'assaisonnement et remuez avant de servir.

poulet au sept-épices et nouilles

Pour **4 personnes**
Préparation **15 minutes**
Cuisson **12 minutes**

3 morceaux de **gingembre confit** + 3 c. à s. du **sirop**
2 c. à s. de **vinaigre de riz**
3 c. à s. de **sauce de soja claire**
4 **blancs de poulet** de 150 g chacun
1 c. à s. de **sept-épices thaï**
3 c. à s. d'huile pour friture (page 11)
3 **échalotes** finement émincées
125 g de **petits épis de maïs** coupés en deux
300 g de **nouilles** moyennes ou fines, spécial wok
300 g d'**épinards**
200 g de **germes de soja**

Détaillez le gingembre en fines lamelles. Mélangez le sirop avec le vinaigre de riz et la sauce de soja, puis réservez.

Coupez les blancs de poulet en deux dans l'épaisseur, puis chaque moitié en fines lanières. Enrobez-les de sept-épices.

Faites chauffer l'huile dans une grande poêle ou un wok, puis faites rissoler les morceaux de poulet 5 minutes à feu doux.

Ajoutez les échalotes et faites-les revenir 2 minutes. Incorporez le maïs et faites-le sauter 1 minute. Ajoutez les nouilles et les épinards, puis parsemez de gingembre. Remuez délicatement jusqu'à ce que les épinards commencent à flétrir.

Ajoutez les germes de soja ainsi que la préparation à la sauce de soja. Faites chauffer 1 minute avant de servir.

Nouilles sept-épices aux crevettes Remplacez le poulet par 400 g de crevettes crues décortiquées, mélangez celles-ci avec le sept-épices et faites cuire comme ci-dessus. Remplacez les épinards par 200 g de pak choï haché grossièrement.

poulet aux boulettes de maïs

Pour **4 personnes**
Préparation **25 minutes**
Cuisson **1 h 30**

3 c. à s. d'**huile d'olive**
8 **cuisses de poulet** sans la peau, désossées et coupées en petits morceaux
4 c. à c. de mélange d'**épices cajun**
1 gros **oignon** émincé
100 g de **lardons**
2 **poivrons rouges** et 2 **poivrons jaunes** épépinés et hachés grossièrement
200 ml de **bouillon de poule** (page 16)
125 g de **farine à levure incorporée**
125 g de **semoule de maïs**
½ c. à c. de **flocons de piment séché**
3 c. à s. de **coriandre** ciselée
75 g de **cheddar** râpé
50 g de **beurre** fondu
1 **œuf**
100 ml de **lait**
4 petites **tomates** pelées et coupées en quatre
100 ml de **crème fraîche épaisse**
sel et **poivre**

Faites chauffer l'huile d'olive dans une grande cocotte, puis faites rissoler les morceaux de poulet 5 minutes. Ajoutez le mélange d'épices cajun et prolongez la cuisson de 1 minute. Transvasez la préparation sur un plat à l'aide d'une écumoire.

Faites frire l'oignon, les lardons et les poivrons 10 minutes dans la cocotte, en remuant.

Remettez le poulet dans la cocotte, versez le bouillon, salez et poivrez. Portez à ébullition, puis couvrez et faites cuire 45 minutes dans le four préchauffé à 180 °C.

Pendant ce temps, préparez les boulettes. Dans un saladier, mélangez la farine, la semoule de maïs, les flocons de piment, la coriandre et le cheddar. Travaillez le beurre avec l'œuf et le lait, puis ajoutez le tout dans le saladier. Mélangez jusqu'à obtention d'une préparation épaisse, collante et homogène.

Incorporez les tomates et la crème fraîche dans la cocotte avec le poulet, salez et poivrez. Déposez dessus des cuillerées de pâte pour boulettes. Enfournez de nouveau 30 minutes sans couvrir. Les boulettes doivent gonfler et prendre une texture croustillante.

Boulettes traditionnelles Dans un saladier, mélangez 175 g de farine à levure incorporée, 50 g de graisse végétale et 4 cuillerées à soupe de persil haché. Salez et poivrez. Mouillez avec de l'eau pour obtenir une pâte légèrement collante. Déposez les boulettes sur la préparation, couvrez et enfournez 20 à 25 minutes.

risotto de poulet à l'estragon

Pour **6 personnes**
Préparation **15 minutes**
Cuisson **30 minutes**

500 g de **blancs de poulet** coupés en petits morceaux
25 g de **beurre**
1 **oignon** finement haché
2 gousses d'**ail** pilées
300 g de **riz pour risotto**
150 ml de **vin blanc**
400 ml de **bouillon de poule** ou **de légumes** (pages 16 et 190)
1 c. à c. de **filaments de safran**
250 g de **mascarpone**
3 c. à s. d'**estragon** haché
3 c. à s. de **persil** ciselé
100 g de **pois gourmands** coupés en deux
sel et **poivre**

Salez et poivrez le poulet. Faites fondre le beurre dans une cocotte, puis faites dorer légèrement le poulet 5 minutes. Ajoutez l'oignon et poursuivez la cuisson 5 minutes de plus. Incorporez l'ail et le riz, remuez pendant 1 minute.

Versez le vin et laissez la préparation bouillonner jusqu'à ce que le vin soit presque évaporé. Ajoutez le bouillon et le safran, puis portez à ébullition.

Couvrez et faites cuire 10 minutes dans le four préchauffé à 180 °C jusqu'à ce que le liquide soit absorbé et le riz presque tendre.

Incorporez le mascarpone, l'estragon, le persil et les pois gourmands. Mélangez jusqu'à ce que le fromage soit fondu. Couvrez et enfournez de nouveau 5 minutes. Mouillez avec un peu d'eau bouillante si la préparation paraît sèche. Vérifiez l'assaisonnement, puis servez avec une salade verte.

Risotto à l'espadon et à l'estragon Remplacez le poulet par 4 tranches d'espadon coupées en morceaux et procédez comme indiqué à la première étape. Remplacez le mascarpone par 150 ml de crème liquide.

coq au vin

Pour **6 à 8 personnes**
Préparation **20 minutes**
Cuisson **1 h 30**

3 c. à s. d'**huile végétale**
3 ou 4 **tranches de pain** écroûté et coupé en dés
50 g de **beurre**
1 **poulet** de 2,5 kg coupé en 12 morceaux
24 **petits oignons confits au vinaigre**, pelés
125 g de **lardons**
1 c. à s. de **farine**
1 bouteille de **vin rouge**
1 **bouquet garni**
2 gousses d'**ail** pelées
1 pincée de **noix de muscade** fraîchement râpée
24 **champignons de Paris** émincés
1 c. à s. de **cognac**
sel et **poivre**

Pour décorer
persil ciselé
lanières de **zeste d'orange**

Faites chauffer 1 cuillerée à soupe d'huile dans une grande cocotte et faites dorer le pain, puis égouttez-le sur du papier absorbant. Ajoutez le reste d'huile, le beurre et les morceaux de poulet. Faites-les rissoler à feu doux en les retournant de temps en temps. Retirez-les à l'aide d'une écumoire et réservez-les au chaud. Videz un peu de matière grasse de la cocotte puis incorporez les oignons et les lardons. Faites-les dorer légèrement, saupoudrez de farine et remuez.

Versez le vin et portez à ébullition en remuant. Ajoutez le bouquet garni, l'ail, la muscade, salez et poivrez. Remettez le poulet dans la cocotte. Baissez le feu et laissez frémir 15 minutes à couvert.

Incorporez les champignons, puis poursuivez la cuisson 45 minutes. Retirez les morceaux de poulet et dressez-les sur un plat chaud. Gardez au chaud. Versez le cognac dans la sauce, faites-la réduire pendant 5 minutes à découvert. Jetez le bouquet garni et l'ail.

Versez la sauce sur le poulet. Garnissez de croûtons, décorez de persil et de zeste d'orange. Servez avec une purée de pommes de terre.

Purée de pommes de terre Faites cuire 8 grosses pommes de terre coupées en morceaux pendant 20 minutes dans une casserole d'eau bouillante salée. Écrasez-les. Ajoutez 50 g de beurre, versez progressivement 75 ml de lait chaud. Assaisonnez avec du sel, du poivre et de la muscade.

soupe de pintade aux haricots

Pour **4 à 6 personnes**
Préparation **20 minutes**
+ une nuit de trempage
Cuisson **1 h 45**

250 g de **cornilles**
1 **pintade** de 1 kg prête à cuire
1 **oignon** émincé
2 gousses d'**ail** pilées
1,5 l de **bouillon de poule** (page 16)
½ c. à c. de **girofle en poudre**
50 g d'**anchois** en boîte, égouttés et finement hachés
100 g de **cresson**
150 g de **champignons sauvages**
3 c. à s. de **purée de tomates**
sel et **poivre**

Faites tremper les cornilles toute la nuit dans un saladier d'eau froide.

Égouttez les cornilles et mettez-les dans une grande casserole. Couvrez-les d'eau, faites bouillir 10 minutes, puis égouttez.

Mettez dans la casserole la pintade, les cornilles, l'oignon, l'ail, le bouillon et le girofle. Portez à ébullition, puis laissez frémir 1 h 45 à feu très doux, à couvert.

Égouttez la pintade et déposez-la sur un plat. Laissez-la refroidir légèrement. Détachez la chair des os, jetez la peau. Coupez les gros morceaux et remettez toute la viande dans la cocotte.

Versez un peu de bouillon dans un saladier et plongez-y les anchois. Ôtez les tiges épaisses du cresson.

Ajoutez dans la casserole les anchois avec leur bouillon, les champignons et la purée de tomates. Salez et poivrez généreusement. Réchauffez quelques minutes à feu doux, puis ajoutez le cresson juste avant de servir.

Soupe au poulet et aux haricots secs Prenez la même quantité de haricots que de cornilles ainsi que 4 cuisses de poulet. Faites cuire et détachez la viande comme ci-dessus. Remplacez le cresson par la même quantité de roquette hachée.

gibier aux marrons

Pour **6 personnes**
Préparation **40 minutes**
Cuisson **1 h 40**

500 g de **chair à saucisses**
3 **oignons** finement hachés
2 c. à s. de **thym** effeuillé
400 g de **morceaux de gibier** variés
350 g de **morceaux de volaille** variés
2 c. à s. de **farine**
100 g de **beurre**
2 branches de **céleri** hachées
2 gousses d'**ail** pilées
750 ml de **bouillon de poule** ou de **fond de gibier** (pages 16 et 30)
10 baies de **genièvre** écrasées
200 g de **farine à levure incorporée**
1 c. à c. de **levure chimique**
150 ml de **lait** + un peu pour la dorure
200 g de **marrons** cuits
3 c. à s. de **sauce Worcestershire**
sel et **poivre**

Mélangez la chair à saucisses avec un tiers des oignons et la moitié du thym. Salez et poivrez généreusement, puis façonnez des boulettes de 2 cm de diamètre.

Coupez la viande de gibier et de volaille en petits morceaux. Salez et poivrez la farine puis enrobez-en la viande. Faites fondre 25 g de beurre dans une grande cocotte, puis faites rissoler la viande en plusieurs fois.

Faites fondre 25 g de beurre et faites frire le reste des oignons et le céleri 5 minutes. Ajoutez l'ail et faites-le revenir 1 minute. Ajoutez les résidus de farine, versez le bouillon. Remettez la viande dans la cocotte avec les boulettes et les baies de genièvre. Couvrez et faites cuire 1 heure dans le four préchauffé à 160 °C.

Pendant ce temps, préparez les scones. Mélangez au robot la farine, la levure, du sel, le reste de thym et de beurre coupé en morceaux. Mixez jusqu'à obtention d'une chapelure. Versez presque tout le lait pour obtenir une pâte ; mouillez avec le reste de lait si elle paraît trop sèche. Posez la pâte sur un plan de travail fariné et abaissez-la sur 1 à 2 cm d'épaisseur. Découpez des disques à l'aide d'un emporte-pièce de 4 cm.

Ajoutez les marrons et la sauce Worcestershire dans la cocotte, vérifiez l'assaisonnement. Disposez les scones dans la cocotte tout autour du gibier et dorez-les à l'œuf. Augmentez la température à 220 °C, puis faites cuire 20 minutes.

cailles chorizo poivrons

Pour **2 personnes**
Préparation **15 minutes**
Cuisson **45 minutes**

25 g de **beurre**
1 c. à s. d'**huile d'olive**
1 **oignon** finement haché
75 g de **chorizo** coupé en petits dés
2 **cailles** dodues
1 **poivron vert** épépiné et finement haché
1 poivron rouge épépiné et finement haché
2 c. à s. de **purée de tomates séchées**
1 c. à s. de **miel** liquide
100 ml de **xérès demi-sec**
sel et **poivre**

Faites fondre le beurre avec l'huile d'olive dans une cocotte, puis faites dorer l'oignon et le chorizo 5 minutes.

Ajoutez les cailles dans la cocotte et faites-les rissoler uniformément, en les retournant. Ensuite, déposez-les sur un plat à l'aide d'une écumoire.

Faites sauter les poivrons 5 minutes dans la cocotte. Ajoutez la purée de tomates séchées. Remettez les cailles dans la cocotte et badigeonnez-les de miel. Versez dessus le xérès, salez et poivrez.

Couvrez et faites cuire 30 minutes dans le four préchauffé à 180 °C. Pour vérifier la cuisson, introduisez la pointe d'un couteau dans la partie charnue d'une cuisse : la chair doit être bien tendre. Rectifiez l'assaisonnement si nécessaire et dressez la sauce aux poivrons sur des assiettes. Posez les cailles dessus et arrosez-les de jus de cuisson. Servez avec le couscous parfumé aux herbes.

Couscous parfumé aux herbes Versez 125 g de semoule de couscous dans un saladier résistant à la chaleur. Ajoutez 150 ml de bouillon de poulet ou de légumes (pages 16 et 190), couvrez et laissez reposer 10 minutes dans un endroit chaud. Mélangez le zeste finement râpé de 1 citron, ¼ de cuillerée à café de paprika fumé, 2 cuillerées à soupe de persil ciselé et 1 cuillerée à soupe de menthe hachée. Salez, poivrez, séparez les grains à la fourchette.

masala poulet épinards

Pour **4 personnes**
Préparation **15 minutes**
Cuisson **15 minutes**

2 c. à s. d'**huile végétale**
1 **oignon** finement émincé
2 gousses d'**ail** pilées
1 **piment vert** épépiné et finement émincé
1 c. à c. de **gingembre frais** finement râpé
1 c. à c. de **coriandre en poudre**
1 c. à c. de **cumin en poudre**
200 g de **tomates** en boîte
750 g de chair de **cuisses de poulet** sans la peau, coupée en morceaux
200 ml de **crème fraîche**
300 g d'**épinards** hachés
2 c. à s. de **coriandre** ciselée
sel et **poivre**

Faites chauffer l'huile dans une grande casserole à fond épais. Faites revenir l'oignon, l'ail, le piment et le gingembre 2 à 3 minutes. Ajoutez la coriandre et le cumin et remuez 1 minute. Salez et poivrez.

Incorporez les tomates et faites-les cuire 3 minutes à feu doux. Augmentez le feu, ajoutez le poulet et faites-le rissoler. Ajoutez la crème fraîche et les épinards.

Poursuivez la cuisson à couvert 6 à 8 minutes, en remuant de temps en temps. Parsemez de coriandre avant de servir. Servez avec du riz épicé au citron.

Riz épicé au citron Rincez abondamment 200 g de riz basmati dans une passoire, sous l'eau courante. Égouttez-le et réservez-le. Faites chauffer 1 cuillerée à soupe d'huile d'olive dans une casserole antiadhésive. Ajoutez 12 à 14 feuilles de curry, 1 piment rouge séché, ½ bâton de cannelle, 2 ou 3 clous de girofle, 4 ou 5 gousses de cardamome, 2 cuillerées à café de graines de cumin et ¼ de cuillerée à café de curcuma. Remuez 20 à 30 secondes avant d'incorporer le riz. Faites-le revenir 2 minutes, versez le jus de 1 gros citron et 450 ml d'eau bouillante. Portez à ébullition, puis laissez frémir 10 à 12 minutes à feu très doux, à couvert. Laissez reposer 10 minutes hors du feu. Aérez le riz à la fourchette avant de servir.

poulet italien à la sauce tomate

Pour **4 personnes**
Préparation **20 minutes**
Cuisson **1 h 15**

4 **cuisses de poulet** coupées en deux à la jointure
4 c. à s. d'**huile d'olive**
1 gros **oignon** finement haché
1 branche de **céleri** finement hachée
75 g de **pancetta** coupée en dés
2 gousses d'**ail** pilées
3 **feuilles de laurier**
4 c. à s. de **vermouth sec** ou de **vin blanc**
800 g de **tomates** en boîte
1 c. à c. de **sucre en poudre**
3 c. à s. de **purée de tomates séchées**
25 g de feuilles de **basilic** ciselées
8 **olives noires**
sel et **poivre**

Salez et poivrez le poulet. Faites chauffer l'huile d'olive dans une sauteuse ou une grande poêle et faites-y dorer le poulet. Transférez-le sur un plat à l'aide d'une écumoire.

Faites frire l'oignon, le céleri et la pancetta 10 minutes à feu doux dans la sauteuse. Ajoutez l'ail et le laurier, puis remuez 1 minute.

Ajoutez le vermouth ou le vin, les tomates, le sucre et la purée de tomates séchées. Salez et poivrez, portez à ébullition. Remettez les morceaux de poulet dans la sauteuse et baissez le feu au minimum. Laissez frémir environ 1 heure à découvert.

Juste avant de servir, ajoutez le basilic, les olives, et vérifiez l'assaisonnement avant de servir. Accompagnez ce poulet de salade au fenouil, à l'orange et aux olives.

Salade au fenouil, à l'orange et aux olives Dans un grand saladier, mélangez 1 gros bulbe de fenouil finement émincé, 8 à 10 olives noires, 1 cuillerée à soupe d'huile d'olive et 2 cuillerées à soupe de jus de citron. Salez et poivrez. Pelez 2 oranges à vif avant de les détailler en fines rondelles. Ajoutez-les dans la salade et remuez délicatement.

poisson

risotto aux écrevisses

Pour **4 personnes**
Préparation **10 minutes**
Cuisson **30 minutes**

50 g de **beurre**
2 **échalotes** finement hachées
1 **piment rouge doux** finement émincé
1 c. à c. de **paprika doux**
1 gousse d'**ail** pilée
300 g de **riz pour risotto**
150 ml de **vin blanc sec**
quelques brindilles de **thym citronné**
1,2 l de **fumet de poisson** ou de **bouillon de poule** (pages 88 et 16)
3 c. à s. d'**estragon** grossièrement haché
300 g de **queues d'écrevisses** en saumure, égouttées
sel
parmesan fraîchement râpé pour servir

Faites fondre la moitié du beurre dans une sauteuse ou une grande poêle et faites revenir les échalotes. Incorporez le piment, le paprika, l'ail, et remuez 30 secondes, sans laisser l'ail brûler.

Versez le riz et faites-le revenir 1 minute. Mouillez avec le vin, puis laissez-le bouillonner jusqu'à ce qu'il soit presque évaporé.

Incorporez le thym citronné et une louche de bouillon. Faites cuire en remuant jusqu'à ce que le bouillon soit presque entièrement absorbé. Poursuivez la cuisson en ajoutant le bouillon louche par louche, et en veillant à ce qu'il soit absorbé avant chaque ajout. Le risotto est prêt lorsque le riz est tendre, mais légèrement croquant – comptez 25 minutes.

Incorporez l'estragon, les queues d'écrevisses, le reste de beurre, et laissez chauffer 1 minute à feu doux. Salez si besoin puis ajoutez le parmesan. Servez éventuellement avec une salade de cresson.

Risotto aux crevettes Faites revenir 350 g de crevettes crues décortiquées dans le beurre, comme dans l'étape 1. Quand elles sont roses, égouttez-les et réservez-les, puis remettez-les dans la sauteuse à l'étape 4. Ne mettez pas de piment et remplacez les échalotes par quelques oignons blancs hachés.

brochettes de lotte riz coco

Pour **4 personnes**
Préparation **20 minutes**
Cuisson **25 minutes**

625 g de **filets de lotte**
4 **tiges de citronnelle** longues et fines
1 botte d'**oignons blancs**
3 c. à s. d'**huile pour friture** (page 11)
½ c. à c. de **flocons de piment séché**
2 gousses d'**ail** émincées
300 g de **riz thaï** parfumé
400 g de **lait de coco**
50 g de **crème de coco**
200 ml d'**eau chaude**
2 c. à s. de **vinaigre de riz**
150 g d'**épinards**
sel et **poivre**

Détaillez la lotte en cubes de 3 cm. À l'aide d'un grand couteau, coupez les tiges de citronnelle en deux dans la longueur. (Si elles sont très épaisses, retirez les feuilles extérieures, hachez-les finement et ajoutez-les dans l'huile avec les flocons de piment.) Taillez l'extrémité des tiges en pointe, puis enfilez les morceaux de lotte sur les « brochettes ».

Hachez finement les oignons blancs, en séparant les parties blanches et vertes.

Faites chauffer l'huile dans une grande poêle avec les flocons de piment, l'ail et le blanc des oignons. Ajoutez les brochettes de lotte et faites-les cuire 5 minutes à feu doux, en les retournant une fois. Déposez-les sur un plat à l'aide d'une écumoire.

Ajoutez le riz dans la poêle, le lait et la crème de coco, portez à ébullition. Baissez le feu, couvrez avec un couvercle ou du papier d'aluminium. Faites cuire 6 à 8 minutes à feu doux, en remuant régulièrement, jusqu'à ce que le riz soit presque tendre et le lait de coco absorbé. Versez l'eau chaude et poursuivez la cuisson pendant 10 minutes, en mouillant si besoin la préparation si elle s'assèche avant que le riz soit cuit.

Incorporez le vinaigre, le vert des oignons, puis les épinards. Quand les feuilles sont flétries, dressez les brochettes sur le riz. Laissez chauffer 3 minutes à feu doux, à couvert, avant de servir.

thon aux lentilles

Pour **4 personnes**
Préparation **15 minutes**
Cuisson **50 minutes à 1 h 05**

½ c. à c. de **sel de céleri**
1 morceau de **thon** de 750 g
1 bulbe de **fenouil**
3 c. à s. d'**huile d'olive**
250 g de **lentilles noires beluga** rincées (magasins bio)
150 ml de **vin blanc**
250 ml de **fumet de poisson** ou de **bouillon de légumes** (pages 88 et 190)
4 c. à s. de **feuilles de fenouil** ou d'**aneth** hachées
2 c. à s. de **câpres** rincées et égouttées
400 g de **tomates** en boîte
sel et **poivre**

Mélangez le sel de céleri avec un peu de poivre pour en enrober le thon. Coupez le bulbe de fenouil en deux, puis en fines lamelles.

Faites chauffer l'huile d'olive dans une cocotte puis faites dorer le thon uniformément. Égouttez-le. Faites revenir le fenouil à feu doux dans la cocotte.

Ajoutez les lentilles et le vin, portez à ébullition. Laissez le vin réduire de moitié. Versez le bouillon, ajoutez les feuilles de fenouil ou d'aneth, les câpres, les tomates, et portez de nouveau à ébullition. Couvrez avec un couvercle et faites cuire 15 minutes dans le four préchauffé à 180 °C.

Remettez le thon dans la cocotte et poursuivez la cuisson 20 minutes jusqu'à ce que les lentilles soient bien tendres. Le thon doit être rosé au milieu. Si vous le préférez plus cuit, enfournez de nouveau 15 à 20 minutes. Vérifiez l'assaisonnement avant de servir.

Agneau aux lentilles Remplacez le thon par 625 g d'épaule d'agneau roulée. Faites-la rissoler comme à l'étape 2. Supprimez le bulbe de fenouil et remplacez le fumet de poisson ou le bouillon de légumes par la même quantité de bouillon de poule. Remplacez le vert de fenouil ou l'aneth par du romarin ou de l'origan. Continuez comme ci-dessus, en comptant 30 minutes de cuisson au lieu 20. Si vous aimez l'agneau bien cuit, enfournez de nouveau 20 minutes.

soupe de fruits de mer

Pour **4 personnes**
Préparation **25 minutes**
Cuisson **15 minutes**

1 c. à c. d'**huile de sésame**
1 c. à s. d'**huile végétale**
3 **échalotes** hachées
3 gousses d'**ail** pilées
1 **oignon** émincé
150 ml de **lait de coco**
150 ml d'**eau**
3 c. à s. de **vinaigre de riz**
1 bâton de **citronnelle** haché
4 **feuilles de citronnier kaffir**
1 **piment rouge** haché
300 ml de **fumet de poisson** (page 88) ou d'**eau**
1 c. à s. de **sucre**
2 **tomates** coupées en quatre
4 c. à s. de **sauce de poisson**
1 c. à c. de **purée de tomates**
375 g de **nouilles de riz** spécial wok
375 g de **gambas** étêtées et décortiquées
125 g de **calamars** nettoyés et détaillés en anneaux
175 g de **palourdes** nettoyées
400 g de **champignons de paille** égouttés (épiceries asiatiques)
20 **feuilles de basilic**

Faites chauffer les deux huiles dans une cocotte, puis faites dorer les échalotes et l'ail 2 minutes à feu doux.

Ajoutez l'oignon, le lait de coco, l'eau, le vinaigre, la citronnelle, les feuilles de kaffir, le piment, le fumet de poisson ou l'eau et le sucre. Portez à ébullition et laissez bouillir 2 minutes. Baissez le feu avant d'ajouter les tomates, la sauce de poisson et la purée de tomates. Laissez frémir 5 minutes, puis ajoutez les nouilles de riz.

Incorporez les gambas, les calamars, les palourdes et les champignons de paille. Poursuivez la cuisson 5 à 6 minutes à feu doux. Décorez de feuilles de basilic avant de servir. Servez avec le dip au nuoc-mâm.

Dip au nuoc-mâm Mélangez les ingrédients suivants : 6 cuillerées à soupe de sauce de poisson, 2 cuillerées à café de sucre en poudre, 1 cuillerée à soupe de vinaigre de vin de riz, 3 piments rouges forts et 2 piments verts forts finement hachés. Laissez reposer 1 heure.

ragoût de poisson

Pour **4 personnes**
Préparation **25 minutes**
Cuisson **40 minutes**

4 c. à s. d'**huile d'olive**
1 **oignon** haché
1 petit **poireau** haché
4 gousses d'**ail** pilées
1 c. à c. de **filaments de safran**
400 g de **tomates** en boîte
4 c. à s. de **purée de tomates séchées**
1 l de **fumet de poisson** (page 88)
3 **feuilles de laurier**
plusieurs brindilles de **thym**
750 g de **poissons variés** (haddock, brème, bar, flétan) débarrassés de la peau, des arêtes, et coupés en gros morceaux
250 g de **crevettes crues** décortiquées
sel et **poivre**
8 c. à s. d'**aïoli** et **rondelles de baguette** pour servir

Faites chauffer l'huile d'olive dans une grande casserole, puis faites revenir l'oignon et le poireau 5 minutes. Ajoutez l'ail et faites revenir 1 minute.

Ajoutez le safran, les tomates, la purée de tomates séchées, le fumet de poisson, le laurier et le thym. Portez à ébullition, puis laissez frémir 25 minutes.

Incorporez délicatement le poisson et faites-le cuire 5 minutes à feu très doux. Ajoutez les crevettes et prolongez la cuisson de 2 à 3 minutes. Les crevettes doivent être roses et le poisson s'effeuiller facilement avec un couteau.

Vérifiez l'assaisonnement avant de servir le ragoût dans des bols. Garnissez les rondelles de baguette avec une cuillerée d'aïoli et posez-les sur la préparation.

Aïoli Mélangez les ingrédients suivants dans un robot : 2 jaunes d'œufs, 1 gousse d'ail pilée, ½ cuillerée à café de sel et 1 cuillerée à soupe de vinaigre de vin blanc. Poivrez. Versez 300 ml d'huile d'olive en mixant jusqu'à obtention d'une préparation épaisse et brillante. Allongez-la avec de l'eau bouillante si elle épaissit trop. Transférez dans un bol, couvrez et gardez au réfrigérateur jusqu'à emploi.

paella au poulet et aux fruits de mer

Pour **4 personnes**
Préparation **25 minutes**
Cuisson **45 minutes**

150 ml d'**huile d'olive**
150 g dc **chorizo** coupé en petits morceaux
4 **cuisses de poulet** désossées et coupées en morceaux
300 g d'anneaux de **calamars**
8 grosses **crevettes crues**
1 **poivron rouge** épépiné et haché
4 gousses d'**ail** pilées
1 **oignon** haché
250 g de **riz pour paella**
1 c. à c. de **filaments de safran**
450 ml de **bouillon de poule** ou de **fumet de poisson** (pages 16 et 88)
100 g de **petits pois** ou de **fèves**
300 g de **moules**
sel et **poivre**
quartiers de **citron** ou de **citron vert** pour servir

Faites chauffer la moitié de l'huile d'olive dans une sauteuse ou une poêle à paella et faites revenir le chorizo 5 minutes. Déposez-le sur une assiette. Faites rissoler la chair des cuisses de poulet 5 minutes, puis mettez-la sur un plat. Faites cuire les anneaux de calamars et les crevettes jusqu'à ce que ces dernières rosissent. Réservez sur un plat pendant la cuisson du riz.

Faites frire le poivron rouge, l'ail et l'oignon 5 minutes dans la sauteuse ou la poêle. Ajoutez le riz et faites-le revenir 1 minute. Ajoutez le safran et le bouillon, portez à ébullition. Baissez le feu, couvrez avec un couvercle ou du papier d'aluminium et laissez frémir 20 minutes.

Grattez les moules soigneusement, en éliminant les filaments. Jetez les coquilles abîmées ou celles qui ne se referment pas lorsqu'on tape dessus.

Remettez le chorizo, le poulet, les calamars et les crevettes dans la poêle ou la sauteuse avec le riz. Incorporez délicatement les petits pois et les fèves. Répartissez les moules à la surface, en les enfonçant légèrement dans le riz. Prolongez la cuisson de 5 minutes à couvert jusqu'à ce que les moules s'ouvrent. Jetez celles qui restent fermées. Vérifiez l'assaisonnement et garnissez de quartiers de citron avant de servir.

Paella au porc Remplacez le poulet par 400 g de poitrine de porc maigre, coupée en dés et cuite comme ci-dessus. Remplacez les calamars par 8 noix de Saint-Jacques fraîches avec le corail, et les moules par la même quantité de petites palourdes.

moules à la crème et à l'estragon

Pour **4 personnes**
Préparation **20 minutes**
Cuisson **15 minutes**

1 kg de **moules**
50 g de **beurre**
2 **échalotes** finement hachées
2 gousses d'**ail** pilées
1 c. à c. de **coriandre en poudre**
2 c. à c. de **thym citronné** effeuillé
1 c. à s. de **farine**
150 ml de **vin blanc**
2 c. à s. d'**estragon** ciselé
150 ml de **crème fraîche épaisse**
sel et **poivre**

Grattez soigneusement les moules en éliminant les filaments. Jetez les coquilles abîmées ou celles qui ne se referment pas lorsqu'on tape dessus.

Faites fondre le beurre dans une grande casserole. Faites-y revenir les échalotes, l'ail, la coriandre et le thym pendant 2 minutes. Hors du feu, versez la farine et mélangez pour obtenir une préparation homogène. Versez progressivement le vin en remuant avec un fouet.

Remettez la casserole sur le feu et laissez épaissir la sauce en remuant. Incorporez l'estragon. Ajoutez les moules et couvrez. Faites cuire environ 5 minutes, en secouant régulièrement la casserole, jusqu'à ce que les coquilles s'ouvrent. Répartissez les moules dans des bols chauds. Jetez celles qui restent fermées.

Mélangez la crème fraîche dans la sauce et portez à ébullition. Salez, poivrez, répartissez la sauce sur les moules. Servez avec du pain grillé.

Moules au vin blanc Nettoyez les moules. Faites fondre 25 g de beurre dans une grande casserole. Faites revenir 1 petit oignon haché, 1 ou 2 gousses d'ail hachées et 1 petit poireau émincé. Ajoutez les moules, 300 ml de vin blanc sec et 150 ml d'eau. Couvrez et portez à ébullition. Faites cuire 2 à 5 minutes, puis répartissez les moules dans des bols. Incorporez 25 g de beurre et 15 g de farine. Ajoutez cette préparation dans le jus de cuisson, en remuant pour faire épaissir la sauce. Portez à ébullition, incorporez 2 cuillerées à soupe de persil haché. Salez, poivrez et versez-le sur les moules.

tagine de poisson

Pour **4 personnes**
Préparation **15 minutes**
Cuisson **35 minutes**

625 g de tranches de **flétan**
1 c. à c. de **graines de cumin**
1 c. à c. de **graines de coriandre**
4 c. à s. d'**huile d'olive**
1 gros **oignon** émincé
3 lanières de **zeste d'orange** + 2 c. à s. de **jus**
3 gousses d'**ail** émincées
½ c. à c. de **filaments de safran**
150 ml de **fumet de poisson** (page 88)
50 g de **dattes** émincées
25 g d'**amandes** effilées, légèrement grillées
sel et **poivre**

Coupez le poisson en gros morceaux, en jetant la peau et les arêtes. Salez et poivrez légèrement. Pilez les graines de cumin et les graines de coriandre dans un mortier.

Faites chauffer l'huile d'olive dans une sauteuse ou une grande poêle, puis faites revenir l'oignon et le zeste d'orange pendant 5 minutes. Ajoutez l'ail, les épices pilées, et faites-les sauter 2 à 3 minutes.

Incorporez le poisson, en retournant les morceaux pour les enrober d'épices. Émiettez le safran, versez le fumet de poisson et le jus d'orange. Parsemez de dattes et d'amandes.

Couvrez avec un couvercle ou du papier d'aluminium, puis laissez frémir 20 à 25 minutes à feu très doux. Vérifiez l'assaisonnement avant de servir avec du couscous cuit à la vapeur.

Tagine d'espadon aux épices Remplacez le flétan par la même quantité d'espadon coupé en morceaux. Ajoutez un piment rouge doux ou de force moyenne, épépiné et haché, en même temps que les épices pilées. Remplacez les dattes par 25 g de figues et par 25 g d'abricots secs.

poisson aux épices

Pour **2 personnes**
Préparation **10 minutes**
+ marinade
Cuisson **5 minutes**

1 gousse d'**ail** pelée
2 **échalotes** rouges hachées
1 tige de **citronnelle**
½ c. à c. de **curcuma**
½ c. à c. de **gingembre**
1 **piment rouge** doux, épépiné et haché grossièrement
1 c. à s. d'**huile d'arachide**
2 c. à c. de **sauce de poisson**
300 g de **filets de poisson blanc** coupés en morceaux
sel et **poivre**
1 c. à s. de **coriandre** ciselée pour décorer

Mixez dans un robot l'ail, les échalotes, la citronnelle, le curcuma, le gingembre et le piment, du sel et du poivre jusqu'à formation d'une pâte. Incorporez progressivement l'huile d'arachide et la sauce de poisson.

Mélangez le poisson avec la pâte obtenue dans un saladier. Couvrez et laissez 15 minutes au réfrigérateur.

Enfilez les morceaux de poisson sur des brochettes, rangez-les sur une plaque recouverte de papier d'aluminium. Faites cuire les brochettes 4 à 5 minutes sous le gril préchauffé, en les retournant une fois pour qu'elles dorent uniformément. Parsemez de coriandre avant de servir. Accompagnez ce poisson de légumes verts chinois.

Légumes verts chinois Faites cuire dans une casserole d'eau bouillante 300 g de légumes verts chinois détaillés en lanières. Égouttez-les et dressez-les sur des assiettes chaudes. Faites chauffer 1 cuillerée à café d'huile d'arachide dans une petite casserole et faites revenir brièvement ½ cuillerée à café d'ail finement haché. Ajoutez 1 cuillerée à café de sauce d'huîtres, 1 cuillerée à soupe d'eau et ½ cuillerée à soupe d'huile de sésame. Portez à ébullition. Versez sur les légumes et remuez.

gratin de poisson

Pour **4 personnes**
Préparation **15 minutes**
Cuisson **1 h 10**

300 g de **crevettes crues** décortiquées
2 c. à c. de **Maïzena**
300 g de **poisson blanc** débarrassé de la peau et coupé en petits morceaux
2 c. à c. de **grains de poivre vert** en saumure, rincés et égouttés
1 petit bulbe de **fenouil** haché grossièrement
1 petit **poireau** haché grossièrement
15 g d'**aneth**
15 g de **persil**
100 g de **petits pois** frais ou surgelés
350 g de **sauce au fromage** maison ou prête à l'emploi (page 206)
750 g de **pommes de terre** à chair ferme coupées en rondelles fines
75 g de **cheddar** râpé
sel et **poivre**

Si les crevettes sont surgelées, décongelez-les. Essuyez-les avec du papier absorbant. Salez et poivrez la Maïzena pour en enrober les crevettes et le poisson. Écrasez légèrement les grains de poivre dans un mortier.

Dans un robot, hachez finement les grains de poivre, le fenouil, le poireau, l'aneth, le persil et un peu de sel ; détachez la préparation des parois du bol si nécessaire. Transvasez dans un plat à four.

Déposez les crevettes et le poisson sur la préparation précédente, remuez légèrement. Répartissez les petits pois à la surface.

Étalez la moitié de la sauce au fromage à la surface à l'aide d'une cuillère. Ajoutez les pommes de terre en couches superposées, en les assaisonnant au fur et à mesure. Couvrez avec le reste de sauce au fromage, parsemez de cheddar.

Faites cuire le gratin 30 minutes dans le four préchauffé à 220 °C jusqu'à ce que la surface soit dorée. Baissez la température à 180 °C, puis poursuivez la cuisson 30 à 40 minutes jusqu'à ce que les pommes de terre soient bien tendres. Servez avec une salade de tomates.

Gratin de haddock fumé aux câpres Remplacez les crevettes et le poisson blanc par 625 g de haddock fumé, pelé et émietté. Remplacez les grains de poivre vert par 2 cuillerées à soupe de câpres.

curry de fruits de mer

Pour **4 personnes**
Préparation **20 minutes**
Cuisson **35 minutes**

40 g de **gingembre frais** râpé
1 c. à c. de **curcuma en poudre**
2 gousses d'**ail** pilées
2 c. à c. de **pâte de curry** de force moyenne
150 ml de **yaourt**
625 g de **filets de poisson blanc**, sans la peau
2 c. à s. d'**huile végétale**
1 gros **oignon** émincé
1 **bâton de cannelle** coupé en deux
2 c. à c. de **cassonade**
2 **feuilles de laurier**
400 g de **tomates** en boîte
300 ml de **fumet de poisson** ou de **bouillon de légumes** (voir ci-contre et page 190)
500 g de **pommes de terre** à chair ferme, coupées en petits morceaux
25 g de **coriandre** ciselée
sel et **poivre**

Mélangez le gingembre, le curcuma, l'ail et la pâte de curry dans un saladier. Incorporez le yaourt. Coupez le poisson en gros morceaux. Ajoutez-les dans le saladier en les enrobant de cette préparation.

Faites chauffer l'huile dans une grande casserole. Faites revenir l'oignon, la cannelle, la cassonade et le laurier. Ajoutez les tomates, le fumet de poisson ou le bouillon de légumes et les pommes de terre, portez à ébullition. Faites cuire 20 minutes à découvert jusqu'à ce que les pommes de terre soient tendres et que la sauce épaississe.

Incorporez le poisson avec le yaourt, baissez le feu au minimum et laissez frémir 10 minutes environ. Vérifiez l'assaisonnement et décorez de coriandre avant de servir.

Fumet de poisson Faites fondre une noisette de beurre dans une grande casserole. Faites revenir 2 échalotes hachées grossièrement, 1 petit poireau coupé en gros morceaux, 1 branche de céleri ou un bulbe de fenouil hachés. Ajoutez 1 kg d'arêtes, de têtes et de parures de poisson ou de crustacés, quelques brins de persil, ½ citron et 1 cuillerée à café de grains de poivre. Couvrez d'eau froide et portez au point de frémissement. Faites cuire 30 minutes à découvert, à feu très doux. Filtrez, puis laissez refroidir.

bars entiers et pommes de terre

Pour **2 personnes**
Préparation **15 minutes**
Cuisson **1 heure**

500 g de **pommes de terre** à chair ferme
3 c. à s. d'**huile d'olive**
2 c. à s. de **tapenade aux tomates séchées**
½ c. à c. de **piment doux en poudre**
2 petits **bars** écaillés et vidés
2 c. à s. d'un mélange d'**herbes hachées** (thym, persil, cerfeuil, estragon)
1 gousse d'**ail** pilée
2 **feuilles de laurier**
½ **citron** coupé en rondelles
1 poignée d'**olives noires** dénoyautées
sel et **poivre**

Coupez les pommes de terre en rondelles de 1 cm d'épaisseur sans les peler. Détaillez ensuite les rondelles en frites épaisses. Mélangez 2 cuillerées à soupe d'huile avec la tapenade aux tomates séchées et le piment en poudre, salez généreusement. Enrobez les pommes de terre de cette préparation dans un saladier.

Transvasez les pommes de terre dans un plat à four. Faites cuire 30 minutes dans le four préchauffé à 200 °C en les retournant une ou deux fois.

Entaillez les deux faces des bars à intervalles réguliers. Mélangez le reste d'huile avec 1 cuillerée à soupe d'herbes et l'ail, salez et poivrez. Remplissez l'intérieur des bars avec les feuilles de laurier, les rondelles de citron et le reste des herbes. Posez-les sur les pommes de terre en poussant celles-ci vers les bords de la plaque.

Badigeonnez les bars avec l'huile à l'ail et aux herbes, répartissez les olives sur les pommes de terre. Enfournez 30 minutes. Vérifiez la cuisson du poisson avec un couteau : la chair doit être cuite jusqu'aux arêtes. Servez avec une salade de tomates.

Salade de tomates Coupez 2 grosses tomates en rondelles et posez-les sur un plat. Émincez ½ petit oignon rouge, ajoutez-le sur les tomates. Mélangez les ingrédients suivants : 6 cuillerées à soupe d'huile d'olive, 2 cuillerées à soupe de vinaigre de cidre, 1 gousse d'ail pilée, ½ cuillerée à café de moutarde. Salez et poivrez. Versez l'assaisonnement sur les tomates, parsemez de persil ciselé.

soupe thaïe aux crevettes

Pour **4 personnes**
Préparation **20 minutes**
Cuisson **20 minutes**

Bouillon
5 cm de **gingembre** ou de **galanga**, émincé très finement
500 ml de **lait de coco**
250 ml de **bouillon de poule** ou **de légumes** (pages 16 et 190)
2 c. à s. de **sauce de poisson**
6 **feuilles de citronnier kaffir**
1 ou 2 c. à s. de **pâte de curry verte** (voir ci-contre)

Garniture
quelques **oignons blancs** hachés
150 g de **champignons de Paris** émincés
250 g de **brocolis** coupés en petits morceaux
300 g de **crevettes crues** décortiquées
1 c. à s. de **jus de citron** frais
4 c. à s. de **coriandre** ciselée

Pour préparer le bouillon, mélangez dans une grande casserole le gingembre ou le galanga, le lait de coco, le bouillon, la sauce de poisson, les feuilles de citronnier et la pâte de curry. Portez à ébullition, puis laissez frémir 10 minutes, en remuant de temps à autre.

Ajoutez les oignons, les champignons et les brocolis. Poursuivez la cuisson 5 à 6 minutes – les légumes doivent être tendres, mais légèrement croquants.

Incorporez les crevettes et laissez frémir encore 3 à 5 minutes. Quand elles sont roses, ajoutez le jus de citron et la coriandre. Servez aussitôt.

Pâte de curry verte Faites griller 1 cuillerée à soupe de graines de coriandre et 2 cuillerées à café de graines de cumin dans une poêle à sec, à feu moyen, en la secouant. Pilez finement les graines grillées dans un mortier avec 1 cuillerée à café de grains de poivre noir. Mixez la préparation pendant 5 minutes. Ajoutez 8 gros piments verts hachés, 20 échalotes hachées, un morceau de gingembre de 5 cm haché, 12 gousses d'ail pilées, 75 g de feuilles de coriandre ciselées, 6 feuilles de kaffir en lanières, 3 tiges de citronnelle hachées, 2 cuillerées à café de zeste de citron vert râpé, 2 cuillerées à café de sel et 2 cuillerées à soupe d'huile d'olive. Mixez par fractions de 10 secondes jusqu'à obtention d'une consistance homogène. Cette pâte se conserve 2 semaines au réfrigérateur.

crevettes piquantes et pommes de terre sautées

Pour **2 personnes**
Préparation **15 minutes**
Cuisson **25 minutes**

3 c. à s. de **chutney de mangue**
½ c. à c. de **paprika fumé fort**
1 c. à s. de **jus de citron** ou **de citron vert**
4 c. à s. d'**huile végétale**
400 g de **crevettes crues** décortiquées
500 g de **pommes de terre** à chair ferme coupées en dés de 2 cm
2 gousses d'**ail** pilées
400 g de **tomates** en boîte
50 g de **crème de coco**
sel et **poivre**
pousses de cresson, **de moutarde** ou **de ciboulette** ciselées pour décorer

Mélangez le chutney de mangue, le paprika et le jus de citron dans un petit saladier.

Faites chauffer la moitié de l'huile dans une poêle ou une sauteuse. Faites revenir les crevettes 3 minutes. Dès qu'elles rosissent, retirez-les à l'aide d'une écumoire et réservez-les.

Faites sauter les pommes de terre 10 minutes dans la poêle avec le reste d'huile, en remuant. Quand elles sont dorées, ajoutez l'ail et poursuivez la cuisson 1 minute.

Incorporez les tomates et portez à ébullition. Baissez le feu, puis laissez la sauce épaissir. Ajoutez la crème de coco et la préparation à la mangue. Laissez frémir jusqu'à ce que la crème de coco se mélange dans la sauce.

Ajoutez les crevettes et laissez-les chauffer quelques secondes. Vérifiez l'assaisonnement puis parsemez de ciboulette ou de graines germées.

Crevettes au curry et aux patates douces Remplacez le paprika par 1 ou 2 cuillerées à café de pâte de curry de force moyenne. Remplacez les pommes de terre par la même quantité de patates douces grattées ou pelées.

saumon à l'aneth et à la moutarde

Pour **4 personnes**
Préparation **20 minutes**
Cuisson **55 minutes**

3 c. à s. d'**aneth** haché
2 c. à s. de **moutarde à l'ancienne**
2 c. à s. de **jus de citron vert**
1 c. à s. de **sucre en poudre**
150 ml de **crème fraîche épaisse**
2 petits bulbes de **fenouil** finement émincés
2 c. à s. d'**huile d'olive**
750 g de **filets de saumon** sans la peau
4 **œufs durs** coupés en quatre
250 g de **pâte feuilletée**
jaune d'œuf battu pour la dorure
sel et **poivre**

Dans un saladier, mélangez l'aneth, la moutarde, le jus de citron vert et le sucre, puis ajoutez la crème fraîche. Salez et poivrez.

Mettez le fenouil dans un plat à four ou à gratin de 2 litres. Arrosez d'huile d'olive et faites cuire 20 minutes dans le four préchauffé à 200 °C, en retournant le fenouil une ou deux fois pendant la cuisson.

Coupez le saumon en 8 gros morceaux. Ajoutez-les dans le plat avec les quartiers d'œufs, en répartissant les ingrédients uniformément. Versez dessus la préparation à la crème fraîche et enfournez de nouveau 15 minutes.

Abaissez la pâte sur une surface farinée, puis découpez-la en carrés de 8 x 6 cm. Badigeonnez la surface avec le jaune d'œuf et faites des entailles en biais avec la pointe d'un couteau. Saupoudrez de poivre.

Couvrez le plat avec une double épaisseur de papier sulfurisé, posez dessus les carrés de pâte. Enfournez 10 à 15 minutes jusqu'à ce que la pâte soit gonflée et dorée. Dressez les morceaux de pâte sur le saumon avant de servir avec une salade verte.

Tourte de saumon à la moutarde et à l'aneth
Remplacez le jus de citron vert par du jus de citron, ajoutez 1 cuillerée à soupe de câpres sur le saumon. Remplacez la pâte feuilletée par 5 feuilles de pâte filo. Posez-les sur le saumon en badigeonnant chaque feuille de beurre fondu et en la froissant légèrement. Enfournez 20 à 25 minutes.

rouleaux de plie à la feta

Pour **4 personnes**
Préparation **20 minutes**
Cuisson **40 minutes**

2 c. à s. de **menthe** ciselée
2 c. à s. d'**origan** haché
25 g de **jambon de Parme** finement haché
2 gousses d'**ail** pilées
4 **oignons blancs** finement hachés
200 g de **feta**
8 **filets de plie** (ou carrelet) sans la peau
300 g de **courgettes** émincées
4 c. à s. d'**huile d'olive à l'ail**
8 **champignons de Paris**
150 g de petites **tomates olivettes** coupées en deux
1 c. à s. de **câpres** rincées et égouttées
sel et **poivre**

Dans un saladier, mélangez la menthe, l'origan, le jambon de Parme, l'ail et les oignons blancs. Émiettez la feta, poivrez généreusement et incorporez-la au mélange.

Étalez les filets de poisson sur le plan de travail, la peau vers le haut, et déposez la préparation à la feta au milieu de chaque filet. Roulez sans serrer, puis fermez les rouleaux avec des bâtonnets à cocktail.

Garnissez le fond d'un plat à four avec les rondelles de courgettes, arrosez-les avec 1 cuillerée à soupe d'huile. Faites cuire 15 minutes dans le four préchauffé à 190 °C. Sortez le plat du four et ajoutez les rouleaux de plie. Disposez autour les champignons, les tomates et les câpres. Salez et poivrez, arrosez avec le reste d'huile.

Enfournez de nouveau 25 minutes jusqu'à ce que le poisson soit cuit. Servez ces rouleaux avec du pain à la tomate et à l'ail.

Pain à la tomate et à l'ail Travaillez 75 g de beurre ramolli avec 2 gousses d'ail pilées, 3 cuillerées à soupe de purée de tomates séchées, salez et poivrez. Entaillez verticalement une ciabatta (pain italien) à 2-3 cm d'intervalle, sans trancher jusqu'à la base. Remplissez les entailles avec la préparation à l'ail et à la tomate. Enroulez dans du papier d'aluminium et faites cuire 15 minutes sous le poisson, dans le four. Découvrez la surface du pain et enfournez de nouveau 10 minutes.

plie au sambal

Pour **4 personnes**
Préparation **30 minutes + marinade**
Cuisson **30 minutes**

1 petite **tige de citronnelle** hachée
2 gousses d'**ail** pilées
6 c. à s. de **noix de coco** râpée
2 **piments verts** épépinés et finement hachés
4 petites **plies** (ou carrelets) écaillées et vidées
4 c. à s. d'**huile végétale**

Sambal à la noix de coco et au tamarin
1 **oignon** finement haché
1 gousse d'**ail** pilée
1 c. à s. d'**huile végétale**
2 c. à s. de **noix de coco** râpée
1 **piment rouge** épépiné et finement haché
150 ml d'**eau bouillante**
2 c. à s. de **pulpe de tamarin séchée**
2 c. à c. de **sucre en poudre**
1 c. à s. de **vinaigre de vin blanc**
1 c. à s. de **coriandre** hachée

Mélangez la citronnelle avec l'ail, la noix de coco et les piments verts. Étalez la préparation sur les plies, couvrez et laissez mariner 2 heures au réfrigérateur.

Pour le sambal à la noix de coco et au tamarin, faites revenir l'oignon et l'ail dans l'huile chaude, dans une grande poêle. Ajoutez la noix de coco avec le piment rouge, remuez pour les enrober d'huile et faites revenir 2 à 3 minutes. Laissez tremper la pulpe de tamarin 10 minutes dans l'eau bouillante.

Filtrez le jus de tamarin en faisant passer le plus de pulpe possible à travers le chinois. Ajoutez le jus dans la poêle avec le sucre et laissez frémir 5 minutes. Versez le vinaigre, puis laissez refroidir hors du feu. Ajoutez la coriandre. Transvasez dans un saladier et nettoyez la poêle.

Faites chauffer l'huile dans la poêle et faites frire les plies en 2 fois, en les retournant une fois. Au bout de 6 à 8 minutes de cuisson, lorsqu'elles sont dorées, égouttez-les sur du papier absorbant. Gardez-les au chaud. Servez bien chaud avec le sambal à la noix de coco et au tamarin. Accompagnez de riz parfumé.

Riz parfumé Faites cuire 325 g de riz parfumé à longs grains dans de l'eau bouillante. Faites revenir quelques oignons blancs émincés 30 secondes dans 2 cuillerées à café d'huile. Ajoutez le zeste râpé de 1 citron vert et 4 à 6 feuilles de citronnier kaffir. Ajoutez le riz égoutté et salez.

soupe de haddock aux coquillages

Pour **4 personnes**
Préparation **15 minutes**
Cuisson **20 minutes**

500 g de **haddock fumé** (non coloré)
25 g de **beurre**
1 gros **poireau** haché
2 c. à c. de **pâte de curry** de force moyenne
1 l de **fumet de poisson** (page 88)
50 g de **crème de coco**
3 **feuilles de laurier**
150 g de **haricots verts** coupés en tronçons de 1 cm
3 petites **courgettes** hachées
250 g de **mélange de crustacés cuits** (crevettes, moules, anneaux de calamars, décongelés si surgelés)
100 ml de **crème liquide**
4 c. à s. de **persil** ciselé
sel et **poivre**

Détaillez le haddock en petits morceaux, en jetant la peau et les arêtes.

Faites fondre le beurre dans une grande poêle, puis faites revenir le poireau 3 minutes. Ajoutez la pâte de curry, le fumet de poisson et la crème de coco. Portez à ébullition. Baissez le feu et laissez frémir 10 minutes à couvert.

Incorporez les feuilles de laurier, les haricots verts, les courgettes, puis faites cuire 2 minutes. Ajoutez le haddock, les crustacés, 3 cuillerées à soupe de crème liquide et le persil. Prolongez la cuisson de 5 minutes à feu doux jusqu'à ce que le haddock s'effeuille facilement.

Salez et poivrez avant de dresser dans des bols. Garnissez avec le reste de crème liquide.

Soupe au saumon fumé et aux pois mange-tout
Remplacez le haddock par 500 g de saumon fumé, puis faites cuire comme ci-dessus. Remplacez les haricots verts par la même quantité de pois mange-tout.

poisson rôti à la méditerranéenne

Pour **4 personnes**
Préparation **15 minutes**
Cuisson **40 minutes**

5 c. à s. d'**huile d'olive**
2 **échalotes** finement émincées
75 g de **pancetta** hachée
50 g de **pignons de pin**
2 c. à c. de **romarin** haché + quelques brindilles
1 tranche épaisse de **pain** écrasée en chapelure
50 g d'**anchois** en boîte, égouttés et hachés
2 **oignons rouges** finement émincés
6 **tomates** coupées en quartiers
2 **filets de haddock** de 300 g chacun, sans la peau
sel et **poivre**

Faites chauffer 2 cuillerées à soupe d'huile d'olive dans une grande plaque à rôtir, puis faites dorer les échalotes et la pancetta, en remuant. Ajoutez les pignons de pin et le romarin. Poivrez et prolongez la cuisson de 2 minutes. Transvasez dans un saladier. Incorporez la chapelure et les anchois.

Faites blondir les oignons 5 minutes dans la plaque. Incorporez les quartiers de tomates, puis retirez du feu. Poussez les ingrédients vers les bords de la plaque.

Retirez les arêtes du poisson, puis posez un filet au milieu de la plaque. Couvrez avec la garniture, en appuyant fermement dessus. Placez l'autre filet dessus. Salez et poivrez.

Arrosez avec le reste d'huile d'olive, puis faites cuire 30 minutes dans le four préchauffé à 180 °C. Vérifiez la cuisson avec la pointe d'un couteau. Servez avec une salade d'épinards aux noix.

Salade d'épinards aux noix Faites chauffer 1 cuillerée à soupe de miel liquide dans une petite poêle. Ajoutez 125 g de noix et faites-les sauter 2 à 3 minutes à feu moyen. Blanchissez 250 g de haricots verts 3 minutes dans de l'eau bouillante salée, puis égouttez-les. Mettez-les dans un grand saladier avec 200 g d'épinards. Préparez un assaisonnement avec les ingrédients suivants : 4 cuillerées à soupe d'huile de noix, 2 cuillerées à soupe d'huile d'olive et 1 à 2 cuillerées à soupe de vinaigre de xérès. Salez et poivrez. Versez sur la salade et parsemez de noix.

crumble de fruits de mer à la citronnelle

Pour **4 personnes**
Préparation **20 minutes**
Cuisson **40 minutes**

500 g d'**espadon** coupé en tranches
200 g de **crevettes crues** décortiquées
250 g de **mascarpone**
4 c. à s. de **vin blanc**
1 **tige de citronnelle**
150 g de **farine**
75 g de **beurre** coupé en morceaux
4 c. à s. d'**aneth** haché
4 c. à s. de **parmesan** fraîchement râpé
sel et **poivre**

Coupez les tranches d'espadon en gros morceaux, en jetant la peau et les arêtes, puis mettez-les dans un plat à four ou à gratin de 1,5 litre. Ajoutez les crevettes, salez et poivrez.

Battez le mascarpone dans un saladier puis ajoutez le vin. Étalez cette préparation sur le poisson.

Hachez la citronnelle aussi finement que possible. Mixez-la dans un robot avec la farine et le beurre jusqu'à obtention d'une fine chapelure. Ajoutez l'aneth et mixez par brèves impulsions.

Couvrez le poisson avec la préparation, parsemez de parmesan. Faites cuire 35 à 40 minutes dans le four préchauffé à 190 °C jusqu'à ce que la surface soit dorée. Servez avec une salade verte.

Tourte aux fruits de mer Ne mettez pas de parmesan et remplacez la garniture à la citronnelle par 500 g de pâte feuilletée. Abaissez la pâte sur un plan de travail fariné, posez-la sur le poisson. Badigeonnez de jaune d'œuf battu et poivrez. Faites cuire 15 minutes dans le four préchauffé à 220 °C. Baissez le feu à 180 °C et poursuivez la cuisson 15 à 20 minutes jusqu'à ce que le dessus soit doré.

soupe palourdes pommes de terre

Pour **4 personnes**
Préparation **15 minutes**
Cuisson **30 minutes**

1 kg de **palourdes**
25 g de **beurre**
2 **oignons** hachés
150 ml de **vin blanc**
1,2 l de **fumet de poisson** ou de **bouillon de poule** (pages 88 et 16)
½ c. à c. de **pâte de curry** de force moyenne
¼ de c. à c. de **curcuma**
500 g de **pommes de terre** farineuses coupées en dés
150 g de **cresson** (tiges épaisses coupées)
1 grosse pincée de **noix de muscade** fraîchement râpée
1 filet de **jus de citron**
sel et **poivre**

Rincez et vérifiez les palourdes une par une, en jetant les coquilles abîmées ou ouvertes qui ne se referment pas lorsqu'on tape dessus. Mettez-les dans un saladier.

Faites fondre le beurre dans une grande casserole, puis faites revenir les oignons 6 à 8 minutes à feu doux. Versez le vin et portez à ébullition. Ajoutez les palourdes. Faites cuire environ 5 minutes à couvert, en secouant la casserole régulièrement jusqu'à ce que toutes les palourdes s'ouvrent.

Transférez les palourdes dans une passoire posée sur un grand saladier pour récupérer le jus. Lorsqu'elles sont tièdes, retirez la chair des coquilles. Jetez ces dernières, réservez la chair et remettez le jus de cuisson dans la casserole.

Ajoutez le bouillon, la pâte de curry, le curcuma, les pommes de terre, et portez à ébullition. Baissez le feu, couvrez et laissez frémir 10 à 15 minutes.

Remettez les palourdes dans la casserole avec le cresson, la noix de muscade, le jus de citron, et laissez chauffer 2 minutes. Écrasez légèrement la préparation avec un mixeur plongeant, sans la réduire en purée. Salez et poivrez.

Soupe de moules, épinards et pommes de terre
Remplacez les palourdes par la même quantité de moules et procédez comme ci-dessus. Remplacez le cresson par la même quantité d'épinards.

poisson vapeur au four

Pour **2 personnes**
Préparation **15 minutes**
Cuisson **25 minutes**

15 g de **gingembre frais**
¼ de c. à c. de **flocons de piment séché**
1 gousse d'**ail** finement émincée
2 c. à s. de **vinaigre de riz**
2 **filets de cabillaud** de 150 à 200 g chacun, sans la peau
150 ml de **fumet de poisson** chaud (page 88)
½ **concombre**
2 c. à s. de **sauce de soja claire**
2 c. à s. de **sauce d'huîtres**
1 c. à s. de **sucre en poudre**
quelques **oignons blancs** coupés en quartiers
25 g de **coriandre** ciselée
200 g de **riz cuit**

Pelez et émincez le gingembre très finement. Détaillez-le en julienne pour le mélanger avec les flocons de piment, l'ail et 1 cuillerée à café de vinaigre. Enrobez le poisson de cette préparation.

Huilez une grille avant de la poser sur une plaque à rôtir. Versez le fumet dans la plaque, placez le poisson sur la grille. Couvrez de papier d'aluminium et faites cuire 20 minutes dans le four préchauffé à 180 °C.

Pendant ce temps, pelez le concombre, coupez-le en deux et ôtez les graines. Détaillez la pulpe en bâtonnets. Mélangez-les dans un petit saladier avec la sauce de soja, la sauce d'huîtres, le sucre et le reste de vinaigre.

Retirez le poisson de la plaque et gardez-le au chaud. Videz le jus de cuisson de la plaque et réservez-le. Mettez le concombre, les oignons blancs, la coriandre et le riz dans la plaque. Laissez chauffer 5 minutes en remuant et en ajoutant le jus réservé pour humidifier le riz.

Dressez cette préparation sur des assiettes, posez le poisson dessus et nappez de jus de cuisson avant de servir.

Poulet vapeur au four Remplacez le poisson par 4 petits blancs de poulet, le fumet de poisson par du bouillon de poule (page 16). Entaillez profondément les blancs de poulet, puis faites cuire 30 à 40 minutes, comme indiqué à l'étape 2. Remplacez la sauce d'huîtres par la même quantité de sauce hoisin.

morue aux pommes de terre

Pour **4 personnes**
Préparation **15 minutes**
+ trempage
Cuisson **35 minutes**

500 g de **morue salée**
4 c. à s. d'**huile d'olive**
1 **oignon** finement haché
3 gousses d'**ail** pilées
600 ml de **fumet de poisson** (page 88)
½ c. à c. de **filaments de safran**
750 g de **pommes de terre** farineuses, coupées en petits morceaux
500 g de **tomates cerises** coupées en morceaux
4 c. à s. de **persil** ciselé
sel et **poivre**

Faites tremper la morue 1 ou 2 jours dans de l'eau froide, en changeant l'eau deux fois par jour. Égouttez-la et coupez-la en petits morceaux, en ôtant la peau et les arêtes.

Faites chauffer l'huile d'olive dans une grande casserole, puis faites revenir l'oignon 5 minutes. Ajoutez l'ail et poursuivez la cuisson 1 minute. Versez le fumet de poisson, émiettez le safran. Portez à ébullition, puis baissez le feu.

Incorporez la morue et les pommes de terre. Laissez frémir 20 minutes à couvert jusqu'à ce que la morue et les pommes de terre soient très tendres.

Incorporez les tomates et le persil, et prolongez la cuisson de 5 minutes. Vérifiez l'assaisonnement, salez et poivrez si nécessaire. Dressez dans des bols et servez avec du pain grillé.

Truite fumée aux pommes de terre Remplacez la morue par 300 g de truite fumée. Coupez-la en morceaux, sans la laisser tremper au préalable. Lorsque les pommes de terre sont cuites, ajoutez la truite fumée dans la casserole avec 2 cuillerées à soupe de câpres, rincées et égouttées, et 2 cuillerées à café de grains de poivre vert en saumure, rincés, égouttés et écrasés.

soupe à l'aigre-douce

Pour **4 personnes**
Préparation **10 minutes**
Cuisson **10 minutes**

600 ml de **fumet de poisson** (page 88)
4 **feuilles de citronnier kaffir**
4 lamelles de **gingembre frais**
1 **piment rouge** épépiné et émincé
1 **tige de citronnelle**
125 g de **champignons** émincés
100 g de **nouilles de riz** sèches
75 g d'**épinards**
125 g de **gambas cuites** décortiquées
2 c. à s. de **jus de citron**
poivre

Versez le fumet de poisson dans une grande casserole, ajoutez les feuilles de kaffir, le gingembre, le piment et la citronnelle. Couvrez et portez à ébullition. Ajoutez les champignons, baissez le feu et laissez frémir 2 minutes.

Cassez les nouilles en petits morceaux, plongez-les dans la soupe et laissez frémir 3 minutes. Incorporez les épinards, les gambas, et laissez chauffer 2 minutes. Versez le jus de citron. Retirez la citronnelle et poivrez avant de servir. Servez avec du pain complet.

Pain complet Mélangez dans un grand saladier 250 g de farine blanche, 1 cuillerée à café de bicarbonate de soude, 2 cuillerées à café de crème de tartre et 2 cuillerées à café de sel. Ajoutez 375 g de farine complète, 300 ml de lait et 4 cuillerées à soupe d'eau. Malaxez jusqu'à obtention d'une pâte lisse et homogène. Déposez-la sur un plan de travail fariné, pétrissez légèrement, puis façonnez-la en disque de 5 cm d'épaisseur. Mettez sur une plaque du four farinée, entaillez la surface en forme de croix, saupoudrez de farine. Faites cuire 25 à 30 minutes dans le four préchauffé à 220 °C.

vichyssoise de maquereau au cidre

Pour **3 ou 4 personnes en plat principal**, **8 en entrée**
Préparation **15 minutes**
Cuisson **30 minutes**

625 g de **poireaux**
50 g de **beurre**
625 g de **pommes de terre nouvelles** coupées en dés
600 ml de **cidre brut**
600 ml de **fumet de poisson** (page 88)
2 c. à c. de **moutarde de Dijon**
300 g de **filets de maquereau** fumés
5 c. à s. de **ciboulette** ciselée
1 grosse pincée de **noix de muscade**
200 g de **crème fraîche**
sel et **poivre**
tiges de ciboulette pour décorer

Épluchez et coupez les poireaux en séparant le blanc et le vert. Faites fondre le beurre dans une grande casserole, puis faites revenir 5 minutes le blanc et la moitié du vert des poireaux. Ajoutez les pommes de terre, le cidre, le fumet de poisson, la moutarde, et portez à ébullition. Baissez le feu et laissez frémir 20 minutes. Les pommes de terre doivent être tendres, sans se défaire.

Effeuillez les filets de maquereau en jetant la peau et les arêtes. Incorporez-les dans la casserole avec la ciboulette, la muscade et le reste de vert de poireaux. Poursuivez la cuisson 5 minutes à feu doux.

Ajoutez la moitié de la crème fraîche, salez et poivrez. Dressez dans des bols, garnissez avec le reste de crème fraîche et décorez de ciboulette.

Vichyssoise à la truite et au vin blanc Remplacez le cidre par 300 ml de vin blanc sec et 300 ml de fumet de poisson. Remplacez le maquereau par 500 g de truite fraîche débarrassée de la peau et des arêtes, et faites cuire comme ci-dessus. Remplacez la crème fraîche par 150 ml de crème liquide.

viande

agneau aux artichauts et gremolata

Pour **4 personnes**
Préparation **20 minutes**
Cuisson **25 minutes**

500 g de **collier d'agneau** désossé
2 c. à c. de **farine**
4 c. à s. d'**huile d'olive**
1 **oignon** finement haché
1 branche de **céleri** finement émincée
150 ml de **bouillon de poule** ou **de légumes** (pages 16 et 190)
2 gousses d'**ail** pilées
le **zeste** de 1 **citron** râpé
4 c. à s. de **persil** ciselé
150 g d'**artichauts rôtis** (voir ci-contre), finement émincés
4 c. à s. de **crème fraîche épaisse**
sel et **poivre**

Dégraissez l'agneau avant de l'émincer finement. Salez et poivrez la farine puis enrobez-en les morceaux d'agneau. Faites chauffer la moitié de l'huile d'olive dans une grande casserole, puis faites rissoler l'agneau en deux fois, en déposant les morceaux sur une assiette à l'aide d'une écumoire.

Faites revenir l'oignon et le céleri dans le reste d'huile 5 minutes. Remettez l'agneau dans la casserole et versez le bouillon. Portez à ébullition, puis laissez frémir 8 minutes à feu très doux.

Pendant ce temps, préparez la gremolata en mélangeant l'ail, le zeste de citron et le persil.

Ajoutez les artichauts et la crème fraîche dans la casserole, laissez chauffer 2 minutes. Vérifiez l'assaisonnement et garnissez de gremolata avant de servir.

Artichauts rôtis Égouttez des cœurs d'artichauts en bocal avant de les émincer. Disposez-les dans une plaque à rôtir. Arrosez-les d'huile d'olive, parsemez-les d'origan, salez et poivrez. Faites-les cuire 20 à 25 minutes dans le four préchauffé à 200 °C.

agneau à la marocaine

Pour **2 personnes**
Préparation **15 minutes**
+ marinade
Cuisson **1 h 30**

1 c. à c. de **gingembre en poudre**
1 c. à c. de **cumin en poudre**
1 c. à c. de **paprika**
1 **bâton de cannelle**
50 ml de **jus d'orange**
250 g d'**agneau maigre** détaillé en cubes de 5 cm
125 g de **petits oignons** ou d'**échalotes** non pelés
1 c. à s. d'**huile d'olive**
1 gousse d'**ail** pilée
2 c. à c. de **farine**
2 c. à c. de **purée de tomates**
125 ml de **fond d'agneau** (page 140)
3 c. à s. de **xérès**
50 g d'**abricots secs**, préalablement trempés
300 g de **pois chiches** en boîte, rincés et égouttés
sel et **poivre**

Mélangez les épices dans un grand saladier et mouillez-les avec le jus d'orange. Ajoutez les morceaux d'agneau, couvrez et placez au moins 1 heure ou toute la nuit au réfrigérateur.

Laissez tremper les oignons ou les échalotes 2 minutes dans de l'eau bouillante, dans un saladier résistant à la chaleur. Égouttez-les, rafraîchissez-les sous l'eau froide, puis pelez-les.

Faites chauffer l'huile d'olive dans une grande cocotte. Sortez l'agneau de la marinade, épongez-le avec du papier absorbant et faites-le rissoler à feu vif. Retirez-le de la cocotte à l'aide d'une écumoire et réservez-le. Baissez le feu, puis faites dorer les oignons ou les échalotes et l'ail 3 minutes, en ajoutant si besoin de l'huile. Remettez l'agneau dans la cocotte, ajoutez la farine et la purée de tomates. Prolongez la cuisson de 1 minute.

Versez la marinade dans la cocotte avec le fond d'agneau et le xérès. Salez, poivrez et portez à ébullition. Couvrez, puis faites cuire 1 heure dans le four préchauffé à 180 °C. Ajoutez les abricots secs, les pois chiches, et poursuivez la cuisson 15 minutes. Servez avec du couscous.

Poulet à la marocaine Remplacez l'agneau par la même quantité de blancs de poulet coupés en cubes et faites cuire comme ci-dessus. Remplacez les abricots secs par la même quantité de raisins secs.

boulettes de viande à la sauce tomate

Pour **4 personnes**
Préparation **25 minutes**
Cuisson **30 minutes**

500 g de **bœuf maigre haché**
3 gousses d'**ail** pilées
2 petits **oignons** finement hachés
25 g de **chapelure**
40 g de **parmesan** fraîchement râpé
6 c. à s. d'huile d'olive
100 ml de **vin rouge**
800 g de **tomates** en boîte
1 c. à c. de **sucre en poudre**
3 c. à s. de **purée de tomates séchées**
75 g d'**olives noires** dénoyautées, hachées grossièrement
4 c. à s. d'**origan** haché
125 g de **mozzarella** détaillée en fines tranches
sel et **poivre**

Réunissez dans un saladier le bœuf, la moitié de l'ail, 1 oignon, la chapelure et 25 g de parmesan. Salez, poivrez, malaxez la préparation avec les mains. Façonnez-la en boulettes de 2 à 3 cm de diamètre.

Faites chauffer la moitié de l'huile d'olive dans une sauteuse ou une grande poêle. Faites rissoler les boulettes 10 minutes, en secouant la sauteuse régulièrement, puis égouttez-les.

Faites revenir le second oignon dans le reste d'huile. Versez le vin et laissez bouillonner jusqu'à ce qu'il soit presque évaporé. Ajoutez le reste d'ail, les tomates, le sucre, la purée de tomates séchées, salez et poivrez. Portez à ébullition et laissez la sauce épaissir légèrement.

Incorporez les olives, l'origan en en réservant 1 cuillerée à soupe, et les boulettes. Prolongez la cuisson de 5 minutes à feu doux.

Posez la mozzarella sur la préparation, parsemez d'origan et de parmesan. Poivrez, puis faites fondre le fromage sous le gril. Servez dans des bols avec du pain grillé.

Boulettes de viande à la grecque Remplacez le bœuf par 500 g d'agneau maigre haché, les olives par 50 g de pignons de pin. Avant d'ajouter ces derniers dans la sauteuse à l'étape 4, faites-les griller à sec 3 à 5 minutes à feu moyen dans une petite poêle en la secouant.

cassoulet aux épices

Pour **2 personnes**
Préparation **15 minutes**
Cuisson **35 minutes**

3 c. à s. d'**huile d'olive**
1 **oignon rouge** finement haché
1 gousse d'**ail** pilée
1 **poivron rouge** épépiné et haché grossièrement
2 branches de **céleri** hachées grossièrement
200 g de **tomates** en boîte
125 ml de **bouillon de poule** (page 16)
2 c. à c. de **sauce de soja foncée**
1 c. à c. de **moutarde de Dijon**
400 g de **cornilles** en boîte, rincées et égouttées
125 g de **saucisses de porc** fumées, coupées en gros morceaux
50 g de **chapelure**
25 g de **parmesan** fraîchement râpé
2 c. à s. de **persil** ciselé

Faites chauffer 1 cuillerée à soupe d'huile d'olive dans une sauteuse ou une poêle. Faites revenir l'oignon, l'ail, le poivron rouge et le céleri 3 à 4 minutes, à feu doux.

Ajoutez les tomates, le bouillon et la sauce de soja. Portez à ébullition, puis laissez frémir environ 15 minutes. Lorsque la sauce commence à épaissir, incorporez la moutarde, les cornilles, les saucisses, et poursuivez la cuisson 10 minutes.

Mélangez la chapelure avec le parmesan et le persil pour en garnir la préparation. Arrosez avec le reste d'huile d'olive. Faites dorer 2 à 3 minutes sous le gril préchauffé à chaleur moyenne-vive. Accompagnez ce cassoulet de salade à la grenade.

Salade à la grenade Mélangez dans un saladier 1 ½ cuillerée à soupe de vinaigre de framboise et 1 cuillerée à soupe d'huile d'olive. Salez et poivrez. Coupez ½ grenade en morceaux, puis retournez la peau pour faire tomber les pépins. Ajoutez-les dans le saladier. Déchiquetez 50 g de feuilles de salades variées avant de les mélanger avec les autres ingrédients.

ragoût bœuf-citrouille au gingembre

Pour **6 personnes**
Préparation **20 minutes**
Cuisson **1 h 30**

2 c. à s. de **farine**
750 g de **bœuf maigre à braiser** coupé en dés
25 g de **beurre**
3 c. à s. d'**huile végétale**
1 **oignon** haché
2 **carottes** coupées en rondelles
2 **navets** coupés en rondelles
3 **feuilles de laurier**
plusieurs brindilles de **thym**
2 c. à s. de **purée de tomates**
625 g de **citrouille** pelée, épépinée et coupée en petits morceaux
1 c. à s. de **cassonade**
50 g de **gingembre frais** finement haché
1 petite poignée de **persil** haché + quelques feuilles pour décorer
sel et **poivre**

Salez et poivrez la farine avant d'en enrober le bœuf. Faites fondre le beurre et l'huile dans une grande casserole, puis faites rissoler la viande en deux fois, en déposant les morceaux sur une assiette à l'aide d'une écumoire.

Faites revenir l'oignon avec les carottes et les navets 5 minutes dans la cocotte.

Remettez la viande dans la cocotte, ajoutez les herbes et la purée de tomates. Couvrez d'eau à fleur, portez doucement à ébullition. Baissez le feu au minimum, puis laissez frémir 45 minutes à couvert.

Incorporez la citrouille, la cassonade, le gingembre, le persil, et poursuivez la cuisson 30 minutes. Vérifiez l'assaisonnement et parsemez de persil avant de servir.

Ragoût de bœuf aux patates douces et au raifort
Remplacez la citrouille par 500 g de patates douces coupées en morceaux et faites cuire comme ci-dessus. Remplacez le gingembre par 3 cuillerées à soupe de raifort.

pavés d'agneau asiatiques

Pour **4 personnes**
Préparation **20 minutes**
Cuisson **30 minutes**

2 gousses d'**ail** pilées
1 **tige de citronnelle** finement hachée
25 g de **gingembre frais** râpé
1 grosse poignée de **coriandre** ciselée
1 **piment rouge fort** épépiné et finement émincé
500 g d'**agneau maigre** haché
2 c. à s. d'**huile végétale**
1 petit **concombre**
1 botte d'**oignons blancs**
200 g de **pak choï**
3 c. à s. de **cassonade**
le **zeste** finement râpé de 2 **citrons verts** + 4 c. à s. de **jus**
2 c. à s. de **sauce de poisson**
50 g de **cacahuètes** grillées
sel

Mixez l'ail avec la citronnelle, le gingembre, la coriandre, le piment et un peu de sel. Ajoutez l'agneau et mixez de nouveau. Déposez la préparation sur le plan de travail et divisez-la en 4 portions. Façonnez-les en boulettes, puis aplatissez-les.

Faites chauffer l'huile dans une plaque à rôtir et faites rissoler les pavés des deux côtés. Faites-les cuire ensuite 25 minutes dans le four préchauffé à 200 °C.

Pelez le concombre et coupez-le en deux dans la longueur. Retirez les graines. Émincez la pulpe en biais. Émincez les oignons blancs en biais. Coupez le pak choï en lanières, en séparant le blanc et le vert.

Videz la graisse de la plaque à rôtir, à l'exception de 2 cuillerées à soupe. Disposez les légumes autour de la viande, sauf le vert du pak choï, puis remuez-les délicatement pour les enrober de jus de cuisson. Enfournez de nouveau 5 minutes sans couvrir.

Mélangez la cassonade, le zeste et le jus de citron vert, la sauce de poisson. Ajoutez le vert du pak choï et les cacahuètes dans la plaque à rôtir. Versez la moitié de l'assaisonnement et remuez les ingrédients de la salade. Dressez l'agneau et la salade sur des assiettes. Arrosez avec le reste d'assaisonnement.

Pavés de poulet Remplacez l'agneau par du poulet haché, le pak choï par d'autres légumes verts détaillés en lanières et les cacahuètes par des noix de cajou salées.

agneau grec et toasts au tzatziki

Pour **4 personnes**
Préparation **15 minutes**
Cuisson **1 h 30**

750 g de **côtes d'agneau**
2 c. à c. d'**origan séché**
3 gousses d'**ail** pilées
4 c. à s. d'**huile d'olive**
1 **aubergine** moyenne
de 300 g, coupée en dés
2 **oignons rouges** émincés
200 ml de **vin blanc**
ou rouge
400 g de **tomates** en boîte
2 c. à s. de **miel** liquide
8 **olives de Kalamata**
8 tranches fines de **pain**
200 g de **tzatziki**
(voir ci-contre)
sel et **poivre**

Dégraissez et coupez l'agneau en gros morceaux. Mélangez l'origan avec l'ail, un peu de sel et de poivre pour en enrober l'agneau.

Faites chauffer la moitié de l'huile d'olive dans une sauteuse ou une grande casserole, puis faites rissoler l'agneau en plusieurs fois. Déposez les morceaux au fur et à mesure sur un plat à l'aide d'une écumoire.

Faites dorer l'aubergine 10 minutes dans la sauteuse avec les oignons et le reste d'huile, en remuant régulièrement. Remettez la viande dans la sauteuse avec le vin, les tomates, le miel et les olives. Salez et poivrez, puis laissez frémir environ 1 h 15 à couvert, à feu très doux. Grillez légèrement les tranches de pain avant de les garnir de tzatziki.

Vérifiez l'assaisonnement du ragoût. Servez dans des assiettes creuses avec les toasts.

Tzatziki Râpez grossièrement un morceau de concombre pelé de 5 cm, épongez-le entre plusieurs épaisseurs de papier absorbant. Mettez-le dans un saladier et incorporez 200 g de yaourt, 1 cuillerée à soupe de menthe ciselée et 1 gousse d'ail pilée. Salez et poivrez.

ragoût de bœuf à la bière

Pour **5 ou 6 personnes**
Préparation **20 minutes**
Cuisson **1 h 45**

2 c. à s. de **farine**
1 kg de **bœuf à braiser** coupé en morceaux
25 g de **beurre**
1 c. à s. d'**huile végétale**
2 **oignons** hachés
2 branches de **céleri** émincées
plusieurs brindilles de **thym**
2 **feuilles de laurier**
400 ml de **bière blonde** forte
300 ml de **bouillon de bœuf** (page 138)
2 c. à s. de **sirop de sucre de canne**
500 g de **navets** pelés et coupés en quartiers
sel et **poivre**

Salez et poivrez la farine pour en enrober le bœuf. Faites fondre le beurre avec l'huile dans une grande cocotte, puis faites rissoler le bœuf en plusieurs fois. Déposez les morceaux au fur et à mesure sur un plat à l'aide d'une écumoire.

Faites revenir les oignons et le céleri 5 minutes dans la cocotte. Ajoutez le bœuf, puis le thym et le laurier, la bière, le bouillon et le sirop de sucre de canne. Portez au point de frémissement. Couvrez et faites cuire 1 heure dans le four préchauffé à 160 °C.

Incorporez les navets et enfournez de nouveau 30 minutes. Vérifiez l'assaisonnement avant de servir. Servez avec une purée de pommes de terre.

Purée de pommes de terre Faites cuire 1,5 kg de pommes de terre nettoyées 20 minutes dans une grande casserole d'eau bouillante salée. Pelez-les, puis remettez-les dans la casserole et écrasez-les. Incorporez 150 ml de lait, 3 ou 4 oignons blancs finement hachés et 50 g de beurre. Salez, poivrez et servez aussitôt.

courgettes farcies piment-pancetta

Pour **4 personnes**
Préparation **20 minutes**
Cuisson **45 minutes**

150 g de **ciabatta**
100 g de **pignons de pin**
1 grosse **courgette** de 1,25 kg
50 g de **beurre**
4 c. à s. d'**huile d'olive**
75 g de **pancetta** détaillée en cubes
3 gousses d'**ail** pilées
1 **piment rouge doux** épépiné et émincé
½ c. à c. de **paprika fort fumé**
2 c. à c. de feuilles de **thym**
1 petite poignée de **persil** ciselé
sel

Émiettez la ciabatta au-dessus d'une grille recouverte de papier d'aluminium, en la répartissant uniformément. Parsemez de pignons de pins et faites griller légèrement.

Pelez la courgette et coupez les extrémités. Divisez-la en 4 sections de taille égale. Évidez-les à l'aide d'une cuillère à dessert en laissant une fine épaisseur au fond.

Faites fondre le beurre avec 2 cuillerées à soupe d'huile d'olive dans une petite plaque à rôtir, puis faites rissoler la pancetta 5 minutes. Ajoutez l'ail, le piment, le paprika, et prolongez la cuisson de 1 minute. Transvasez la préparation dans un grand saladier à l'aide d'une écumoire, en laissant un peu d'huile dans la plaque.

Mettez les morceaux de courgettes dans la plaque, hors du feu, en les enrobant d'huile épicée. Placez-les à la verticale, enduisez l'intérieur d'huile épicée. Salez, puis faites cuire 25 minutes dans le four préchauffé à 200 °C.

Mélangez les pignons et la ciabatta avec la préparation à la pancetta et les herbes pour farcir les morceaux de courgettes. Arrosez avec le reste d'huile d'olive et enfournez de nouveau 15 minutes.

Citrouilles aux tomates séchées Remplacez la pancetta par 50 g de tomates séchées, finement hachées, et faites-les revenir de la même manière. Remplacez la courgette par des petites citrouilles de taille égale. Coupez la partie supérieure, évidez-les. Badigeonnez l'intérieur d'huile aux épices et enfournez 50 minutes.

chili con carne

Pour **2 personnes**
Préparation **15 minutes**
Cuisson **45 minutes**

2 c. à s. d'**huile d'olive**
1 **oignon rouge** finement haché
3 gousses d'**ail** pilées
250 g de **bœuf maigre haché**
½ c. à c. de **cumin en poudre**
1 petit **poivron rouge** épépiné et coupé en dés
400 g de **tomates** en boîte
1 c. à s. de **purée de tomates**
2 c. à c. de **piment doux en poudre**
200 ml de **bouillon de bœuf** (voir ci-contre)
400 g de **haricots rouges** en boîte, rincés et égouttés
sel et **poivre**

Faites chauffer l'huile d'olive dans une casserole, puis faites revenir l'oignon et l'ail 5 minutes. Ajoutez le bœuf avec le cumin, et faites rissoler 5 à 6 minutes.

Ajoutez le poivron rouge, les tomates, la purée de tomates, le piment en poudre, le bouillon de bœuf, et portez à ébullition. Baissez le feu et laissez frémir 30 minutes.

Incorporez les haricots rouges et poursuivez la cuisson 5 minutes. Salez et poivrez avant de servir avec du riz complet.

Bouillon de bœuf Dans une grande casserole à fond épais, mettez 750 g d'os de bœuf cuits ou non, 1 gros oignon non pelé, coupé en deux, 2 carottes et 2 branches de céleri grossièrement hachées, 1 cuillerée à café de grains de poivre, quelques feuilles de laurier et des brindilles de thym. Couvrez d'eau froide et portez à ébullition. Laissez frémir 3 à 4 heures à découvert, à feu très doux. Filtrez et laissez refroidir. Ce bouillon se conserve une semaine au réfrigérateur ou au congélateur.

pilaf de riz rouge à l'agneau

Pour **3 ou 4 personnes**
Préparation **20 minutes**
Cuisson **1 h 10**

2 c. à c. de **graines de cumin**
2 c. à c. de **graines de coriandre**
10 gousses de **cardamome**
3 c. à s. d'**huile d'olive**
500 g d'**épaule d'agneau** coupée en dés
2 **oignons rouges** émincés
25 g de **gingembre frais** râpé
2 gousses d'**ail** pilées
½ c. à c. de **curcuma**
200 g de **riz rouge**
600 ml de **fond d'agneau** ou **bouillon de poule** (voir ci-contre et page 16)
40 g de **pignons de pin**
75 g d'**abricots secs**, préalablement trempés, émincés finement
50 g de **roquette**
sel et **poivre**

Pilez les graines de cumin et de coriandre dans un mortier avec les gousses de cardamome. Jetez les gousses de cardamome et gardez les graines.

Faites chauffer l'huile d'olive dans une petite plaque à rôtir, puis faites revenir les épices 30 secondes. Ajoutez l'agneau et les oignons en les enrobant soigneusement avec les épices. Faites cuire 40 minutes dans le four préchauffé à 180 °C.

Remettez la préparation sur la table de cuisson. Ajoutez le gingembre, l'ail, le curcuma et le riz. Versez le bouillon et portez à ébullition. Couvrez avec un couvercle ou du papier d'aluminium, puis faites cuire 30 minutes à feu très doux jusqu'à ce que le riz soit tendre et le bouillon absorbé.

Incorporez les pignons de pin et les abricots secs, salez et poivrez. Incorporez la roquette. Dressez sur des assiettes et servez aussitôt.

Fond d'agneau Dans une grande casserole à fond épais, mettez 750 g d'os d'agneau rôti et des restes de viande, 1 gros oignon grossièrement haché, 2 grosses carottes et 2 branches de céleri émincées, 1 cuillerée à café de grains de poivre noir, quelques feuilles de laurier et des brindilles de thym. Couvrez d'eau froide à fleur et portez à ébullition. Laissez frémir 3 heures à feu doux en écumant la surface. Filtrez et laissez refroidir. Cette préparation se conserve une semaine au réfrigérateur ou au congélateur.

ragoût au porc et aux haricots secs

Pour **4 à 6 personnes**
Préparation **15 minutes**
+ une nuit de trempage
Cuisson **2 heures**

300 g de **haricots blancs**
15 g de **beurre**
200 g de **lardons**
375 g de **porc maigre** coupé en dés
1 **oignon** haché
1 c. à s. de **thym** effeuillé ou de **romarin** haché
400 g de **tomates** en boîte
3 c. à s. de **sirop de sucre de canne**
2 c. à s. de **purée de tomates**
2 c. à s. de **moutarde à l'ancienne**
1 c. à s. de **sauce Worcestershire**
sel et **poivre**

Faites tremper les haricots blancs toute la nuit dans un saladier rempli d'eau froide.

Égouttez-les puis mettez-les dans une cocotte. Couvrez-les d'eau et portez à ébullition. Laissez frémir 15 à 20 minutes à feu doux jusqu'à ce qu'ils soient un peu plus tendre puis égouttez-les.

Nettoyez la cocotte puis faites-y fondre le beurre. Faites rissoler les lardons et le porc 10 minutes. Ajoutez l'oignon et prolongez la cuisson de 5 minutes.

Incorporez les haricots, le thym ou le romarin et les tomates. Couvrez d'eau à fleur et portez à ébullition. Posez le couvercle, puis faites cuire 1 heure dans le four préchauffé à 150 °C jusqu'à ce que les haricots soient bien tendres.

Mélangez le sirop de sucre de canne avec la purée de tomates, la moutarde, la sauce Worcestershire, salez et poivrez. Ajoutez cette préparation dans la cocotte et enfournez de nouveau 30 minutes.

Ragoût de haricots aux saucisses végétariennes
Remplacez les haricots blancs par une autre variété de haricots secs ; laissez-les tremper, puis égouttez-les comme ci-dessus. Remplacez les lardons et le porc par 12 saucisses végétariennes et faites-les rissoler avant l'oignon à l'étape 3. Retirez-les de la cocotte et réservez-les. Ajoutez l'oignon et continuez comme ci-dessus. Incorporez les saucisses à la dernière étape, avant la sauce, et faites cuire 30 minutes.

soupe de bœuf aux nouilles

Pour **4 à 6 personnes**
Préparation **30 minutes**
Cuisson **2 heures**

1 c. à s. d'**huile végétale**
500 g de **bœuf à braiser**
2 l de **bouillon de bœuf** (page 138)
4 gousses d'**anis étoilé**
1 **bâton de cannelle**
1 c. à c. de **grains de poivre noir**
4 **échalotes** émincées
4 gousses d'**ail** pilées
7 cm de **gingembre frais**
300 g de **nouilles de riz**
125 g de **germes de soja**
6 **oignons blancs** émincés
1 poignée de **coriandre**
250 g de **filet de bœuf** émincé
2 c. à s. de **sauce de poisson**
sel et **poivre**
piments rouges forts

Sauce nuoc-cham
2 **piments rouges** hachés
1 gousse d'**ail** pilée
1 ½ c. à s. de **sucre**
1 c. à s. de **jus de citron vert**
1 c. à s. de vinaigre de riz
3 c. à s. de **sauce de poisson**

Faites chauffer l'huile dans une grande casserole ou une cocotte, puis faites rissoler le bœuf.

Ajoutez le bouillon, l'anis étoilé, la cannelle, le poivre noir, la moitié des échalotes, l'ail et le gingembre émincé. Portez à ébullition en écumant la surface. Baissez le feu, couvrez et laissez frémir 1 h 30.

Pour la sauce nuoc-cham, pilez les piments dans un mortier avec l'ail et le sucre. Mélangez intimement le jus de citron, le vinaigre de riz, la sauce de poisson et 4 cuillerées à soupe d'eau.

Quand le bœuf est tendre, retirez-le du bouillon, puis émincez-le. Faites cuire les nouilles 2 à 3 minutes dans le bouillon. Ajoutez les germes de soja avec les morceaux de bœuf et laissez chauffer 1 minute. Répartissez le bouillon filtré, les nouilles et les germes de soja dans des bols chauds. Ajoutez les morceaux de bœuf, les oignons blancs, la coriandre et le reste d'échalotes. Garnissez de piment et servez avec la sauce nuoc-cham.

Soupe au tofu et aux nouilles plates Remplacez le bœuf par 250 g de tofu coupé en dés et égoutté sur du papier absorbant. Faites-le rissoler comme ci-dessus. Remplacez le bouillon de bœuf par la même quantité de bouillon de légumes (page 190) et la sauce de poisson par la même quantité de sauce de soja. Réduisez le temps de cuisson à 20 minutes. Ajoutez 150 g de germes de soja avec les nouilles.

ragoût de queue de bœuf

Pour **4 personnes**
Préparation **20 minutes**
Cuisson **3 h 45**

2 c. à s. de **farine**
1 c. à s. de **moutarde en poudre**
1 c. à c. de **sel de céleri**
2 kg de **queue de bœuf**
50 g de **beurre**
2 c. à s. d'**huile végétale**
2 **oignons** émincés
3 grosses **carottes** coupées en rondelles
3 **feuilles de laurier**
100 g de **purée de tomates**
100 ml de **xérès sec**
1 l de **bouillon de bœuf** ou **de légumes** (pages 138 et 190)
sel et **poivre**

Mélangez la farine, la moutarde en poudre et le sel de céleri sur une grande assiette pour en enrober les morceaux de viande. Laissez fondre la moitié du beurre avec 1 cuillerée à soupe d'huile dans une grande cocotte. Faites rissoler la viande en deux fois en déposant les morceaux sur une assiette à l'aide d'une écumoire.

Faites revenir les oignons et les carottes dans le reste de beurre et d'huile. Remettez la viande dans la cocotte avec les feuilles de laurier et les résidus de farine.

Mélangez la purée de tomates avec le xérès et le bouillon avant de les ajouter dans la cocotte. Portez à ébullition, puis baissez le feu et couvrez.

Faites cuire 3 h 30 dans le four préchauffé à 150 °C jusqu'à ce que la viande soit fondante et se détache des os. Vérifiez l'assaisonnement et servez avec du pain grillé.

Ragoût de queue de bœuf aux herbes et au vin rouge Ajoutez 1 navet coupé en morceaux avec les oignons et les carottes à l'étape 2. En remettant la viande dans la cocotte, incorporez avec les feuilles de laurier 1 cuillerée à café de romarin haché et de thym effeuillé. Remplacez le xérès par la même quantité de vin rouge.

potée de porc au chou

Pour **4 personnes**
Préparation **15 minutes**
Cuisson **40 minutes**

65 g de **beurre**
500 g de **chair à saucisses**
1 **oignon** haché
2 c. à c. de **graines de carvi**
625 g de **chou frisé** détaillé en lanières
400 g de **pommes de terre** farineuses coupées en dés
200 ml de **bouillon de poule** ou **de légumes** (pages 16 et 190)
1 c. à s. de **vinaigre de cidre**
sel et **poivre**

Faites fondre la moitié du beurre dans une cocotte, puis faites rissoler la chair à saucisses en la séparant en morceaux à l'aide d'une cuillère en bois.

Ajoutez l'oignon et les graines de carvi. Salez, poivrez et prolongez la cuisson de 5 minutes.

Incorporez le chou et les pommes de terre dans la cocotte. Versez le bouillon et le vinaigre de cidre, salez et poivrez de nouveau. Parsemez de noisettes de beurre et couvrez.

Faites cuire 30 minutes dans le four préchauffé à 160 °C jusqu'à ce que le chou et les pommes de terre soient bien tendres. Servez avec du pain complet.

Potée de poulet au chou Remplacez la chair à saucisses par 400 g de cuisses de poulet pelées et désossées, coupées en morceaux. Faites rissoler comme indiqué à l'étape 1. Remplacez le chou vert par la même quantité de chou rouge émincé, le vinaigre de cidre par 1 cuillerée à soupe de vinaigre de vin rouge et 2 cuillerées à soupe de miel liquide. Faites cuire comme ci-dessus.

goulasch porc-betteraves

Pour **4 personnes**
Préparation **30 minutes**
Cuisson **2 h 30**

2 c. à s. d'**huile d'olive**
450 g de **porc maigre** coupé en dés
2 **oignons** émincés
1 c. à c. de **paprika fort fumé**
1 c. à c. de **graines de carvi**
1 **jarret de porc** fumé de 750 g
3 **feuilles de laurier**
1,2 l d'**eau**
300 g de **betterave** coupée en dés
300 g de **chou rouge** finement émincé
3 c. à s. de **purée de tomates**
crème fraîche ou **crème aigre** pour servir

Faites chauffer l'huile d'olive dans une grande casserole et faites rissoler les morceaux de porc. Ajoutez les oignons, le paprika, les graines de carvi, et faites-les revenir 5 minutes jusqu'à ce que les oignons soient dorés.

Ajoutez le jarret, les feuilles de laurier et l'eau. Portez à ébullition, couvrez et baissez le feu au minimum. Laissez frémir 2 heures jusqu'à ce que la viande de jarret soit bien moelleuse.

Déposez le jarret sur une assiette à l'aide d'une écumoire et laissez-le refroidir. Détachez la viande en petits morceaux et remettez-les dans la casserole en jetant la couenne et l'os.

Ajoutez la betterave, le chou et la purée de tomates dans la casserole. Poursuivez la cuisson 15 minutes. Vérifiez l'assaisonnement et garnissez de crème fraîche ou de crème aigre avant de servir dans des assiettes creuses. Accompagnez de purée de carottes et de rutabagas.

Purée de carottes et de rutabagas Faites cuire 500 g de carottes 10 minutes dans une grande casserole d'eau bouillante. Ajoutez 1 kg de rutabagas pelés et coupés en morceaux. Faites cuire, puis égouttez soigneusement et remettez dans la casserole. Écrasez avec 1 cuillerée à café de thym effeuillé et 3 cuillerées à soupe d'huile d'olive.

veau au vin et au citron

Pour **5 ou 6 personnes**
Préparation **20 minutes**
Cuisson **40 minutes**

2 c. à s. d'**huile d'olive**
1 kg de **veau** détaillé en cubes
2 **oignons** émincés
4 gousses d'**ail** émincées
2 petits bulbes de **fenouil** hachés grossièrement
300 ml de **vin blanc**
300 ml de **bouillon de poule** (page 16)
le **zeste** de ½ **citron** détaillé en julienne
4 **feuilles de laurier**
1 c. à s. de **thym** effeuillé
sel et **poivre**

Faites chauffer l'huile d'olive dans une cocotte à feu vif et faites rissoler la viande en plusieurs fois. Déposez-la au fur et à mesure sur une assiette à l'aide d'une écumoire.

Faites dorer les oignons et l'ail dans la cocotte à feu moyen. Incorporez le fenouil et faites-le revenir 3 à 4 minutes.

Remettez la viande dans la cocotte. Ajoutez le vin, le bouillon, le zeste de citron, les feuilles de laurier et le thym. Portez à ébullition.

Baissez le feu, puis laissez frémir 20 à 25 minutes à couvert. Salez et poivrez avant de servir avec du riz parfumé complet.

Riz parfumé complet Lavez 400 g de riz basmati complet dans une passoire jusqu'à ce que l'eau devienne claire. Dans une cocotte, mettez les graines pilées de 4 gousses de cardamome,1 grosse pincée de filaments de safran, 1 bâton de cannelle, ½ cuillerée à café de graines de cumin et 2 feuilles de laurier. Faites griller 2 à 3 minutes à sec, à feu moyen. Ajoutez 1 cuillerée à soupe d'huile d'olive, et lorsqu'elle est chaude, faites revenir 1 oignon haché 10 minutes. Ajoutez le riz, versez 600 ml d'eau et 2 cuillerées à soupe de jus de citron. Salez et poivrez. Portez à ébullition, puis laissez frémir 15 minutes à couvert jusqu'à ce que l'eau soit entièrement absorbée, en mouillant si besoin la préparation si elle s'assèche. Laissez reposer quelques minutes avant de servir.

agneau épicé et purée de fèves

Pour **2 ou 3 personnes**
Préparation **20 minutes**
+ repos
Cuisson **50 minutes**

2 grosses **pommes de terre** à chair ferme coupées en cubes de 2 cm
4 c. à s. d'**huile d'olive**
40 g de **chapelure**
1 gousse d'**ail** pilée
2 c. à s. de **coriandre fraîche** ciselée
1 c. à c. de **coriandre en poudre**
1 c. à c. de **cumin en poudre**
1 **jaune d'œuf**
1 **carré d'agneau** paré
4 gros **champignons de Paris**
150 g de **fèves** surgelées
1 c. à s. de **menthe** ciselée
100 ml de **vin blanc**
sel et **poivre**

Enrobez les pommes de terre avec 2 cuillerées à soupe d'huile d'olive dans une petite plaque à rôtir. Salez et poivrez. Faites cuire 15 minutes dans le four préchauffé à 200 °C.

Mélangez la chapelure avec l'ail, la coriandre fraîche, les épices, salez et poivrez. Dégraissez le carré d'agneau. Badigeonnez-le avec le jaune d'œuf puis couvrez-le avec la préparation à la chapelure, en appuyant dessus pour la faire adhérer. Enduisez les champignons de l'huile restante, salez et poivrez.

Retournez les pommes de terre dans la plaque avant d'ajouter le carré d'agneau, le côté recouvert de chapelure vers le haut. Enfournez 30 minutes, ou plus si vous aimez l'agneau cuit à point. Au bout de 15 minutes de cuisson, retournez les pommes de terre et ajoutez les champignons.

Déposez le carré d'agneau sur une planche. Couvrez-le de papier d'aluminium et laissez-le reposer 15 minutes. Dressez les pommes de terre et les champignons sur un plat de service chaud.

Faites cuire les fèves 5 minutes dans la plaque avec la menthe et le vin blanc, puis mixez la préparation. Vérifiez l'assaisonnement et dressez sur des assiettes chaudes. Découpez le carré d'agneau, puis ajoutez les côtelettes sur les assiettes avec les champignons et les pommes de terre.

bœuf au pesto de noix

Pour **6 personnes**
Préparation **20 minutes**
+ repos
Cuisson **1 h 40**

150 g de **cerneaux de noix**
2 gousses d'**ail** hachées grossièrement
50 g d'**anchois** en boîte
2 c. à s. de **sauce au raifort**
25 g de **persil** ciselé
2 c. à s. d'**huile d'olive**
1,5 kg de **rôti de bœuf à braiser** (gîte, paleron, macreuse)
1 gros **oignon** finement haché
2 branches de **céleri** hachées
300 ml de **vin rouge**
150 ml de **bouillon de bœuf** (page 138)
4 **carottes** détaillées en grosses rondelles
300 g de **petits navets**
500 g de **pommes de terre** nouvelles
200 g de **haricots verts**
sel et **poivre**
persil ciselé pour décorer

Mixez au robot ou au mixeur les noix, l'ail, les anchois avec leur huile, la sauce au raifort, le persil, 1 cuillerée à soupe d'huile d'olive et 1 grosse pincée de poivre noir jusqu'à obtention d'une pâte épaisse.

Coupez la ficelle du rôti et ouvrez-le suffisamment pour le farcir avec la préparation mixée. Refermez le rôti en le ficelant à 2 ou à 3 cm d'intervalle. Épongez-le avec du papier absorbant, salez et poivrez.

Faites chauffer le reste d'huile d'olive dans une cocotte pour faire rissoler le rôti. Déposez-le sur une assiette à l'aide d'une écumoire.

Faites revenir l'oignon et le céleri 5 minutes dans la cocotte. Remettez la viande dans la cocotte, versez le vin et le bouillon. Ajoutez les carottes et les navets. Portez à ébullition, couvrez et faites cuire 30 minutes dans le four préchauffé à 160 °C.

Disposez les pommes de terre autour de la viande, salez. Enfournez de nouveau 40 minutes. Incorporez les haricots verts et poursuivez la cuisson 20 minutes de plus. Laissez reposer 15 minutes avant de découper la viande.

Bœuf au pesto de noisettes Remplacez les noix par la même quantité de noisettes, les anchois par 4 cuillerées à soupe de câpres et les navets par la même quantité de rutabagas en morceaux.

agneau aux pommes de terre

Pour **4 personnes**
Préparation **20 minutes**
Cuisson **2 h 15**

8 **côtes d'agneau** (environ 1 kg)
50 g de **beurre**
1 c. à s. d'**huile végétale**
2 c. à c. de **romarin** haché
4 gousses d'**ail** émincées
2 **oignons** émincés
200 g de **champignons de Paris** coupés en deux
1 kg de grosses **pommes de terre** coupées en fines rondelles
450 ml de **fond d'agneau** (page 140)
sel et **poivre**

Dégraissez les côtes d'agneau, salez et poivrez les deux faces.

Faites fondre la moitié du beurre avec l'huile dans une cocotte basse et faites rissoler les côtes d'agneau en plusieurs fois. Déposez-les au fur et à mesure sur un plat.

Remettez les côtes d'agneau dans la cocotte en les rangeant les unes à côté des autres, ajoutez le romarin et l'ail. Disposez les oignons et les champignons tout autour, les pommes de terre dessus. Versez le fond d'agneau.

Couvrez avec un couvercle ou du papier d'aluminium et faites cuire 1 h 30 dans le four préchauffé à 160 °C. Parsemez de noisettes de beurre, puis enfournez de nouveau 45 minutes sans couvrir jusqu'à ce que les pommes de terre soient dorées et croustillantes.

Agneau au boudin et aux pommes de terre Ajoutez 200 g de boudin noir en morceaux dans la cocotte avec les côtes d'agneau rissolées. Remplacez le romarin par 1 cuillerée à soupe de thym effeuillé et parfumez le fond d'agneau avec 2 cuillerées à soupe de sauce Worcestershire.

agneau à l'orange et aux pois chiches

Pour **8 personnes**
Préparation **25 minutes**
+ une nuit de trempage
Cuisson **2 h 30**

225 g de **pois chiches**, trempés une nuit dans l'eau froide
4 c. à s. d'**huile d'olive**
2 c. à c. de **cumin en poudre**
1 c. à c. de mélange de **curcuma**, de **cannelle** et de **gingembre en poudre**
½ c. à c. de **filaments de safran**
1,5 kg d'**épaule d'agneau** dégraissée et coupée en cubes de 3 cm
2 **oignons** hachés
3 gousses d'**ail** pilées
2 **tomates** pelées, épépinées et concassées
250 ml d'**eau froide**
12 **olives noires** dénoyautées, émincées
le **zeste** râpé de 1 **citron**
le **zeste** râpé de 1 **orange** non traitée ou 1 c. à s. de **zeste d'orange séché**
6 c. à s. de **coriandre**
sel et **poivre**

Égouttez les pois chiches et rincez-les sous l'eau froide. Mettez-les dans une grande casserole, couvrez-les d'eau et portez à ébullition. Laissez frémir à 1 h 30 à couvert.

Mélangez dans un grand saladier la moitié de l'huile d'olive avec le cumin, la cannelle, le gingembre, le curcuma et le safran, plus ½ cuillerée à café de sel et ½ cuillerée à café de poivre. Ajoutez les morceaux d'agneau, remuez et laissez reposer 20 minutes au frais.

Faites chauffer le reste d'huile dans la cocotte et faites rissoler l'agneau en plusieurs fois. Déposez les morceaux au fur et à mesure sur un plat à l'aide d'une écumoire.

Faites revenir les oignons dans la cocotte. Ajoutez l'ail, les tomates et l'eau en remuant et en raclant le fond de la cocotte. Remettez l'agneau dans la cocotte et couvrez d'eau à fleur. Portez à ébullition à feu vif, écumez la surface, puis laissez frémir 1 heure à couvert.

Égouttez les pois chiches en réservant le liquide de cuisson. Incorporez-les dans la cocotte avec 250 ml du liquide de cuisson. Poursuivez la cuisson 30 minutes à feu doux. Ajoutez les olives avec le zeste de citron et d'orange, puis laissez frémir encore 30 minutes.

Ciselez la coriandre. Ajoutez-en la moitié dans la cocotte et décorez la préparation avec le reste avant de servir.

linguine au porc et à la tomate

Pour **4 personnes**
Préparation **20 minutes**
Cuisson **40 minutes**

300 g de **jambonneau**
2 c. à c. de **paprika doux**
250 g de **linguine** sèches
5 c. à s. d'**huile d'olive**
50 g de **chorizo** coupé en dés
1 **oignon rouge** émincé
250 g de **passata** (coulis de tomates)
3 c. à s. de **purée de tomates séchées**
½ c. à c. de **filaments de safran**
750 ml de **bouillon de poulet** ou **de légumes** (pages 16 et 190)
50 g de **petits pois** frais ou surgelés
3 gousses d'**ail** pilées
4 c. à s. de **persil** ciselé
le **zeste** finement râpé de 1 **citron**
sel et **poivre**

Mélangez le paprika avec un peu de sel et de poivre pour en enrober le jambonneau. Enveloppez la moitié des pâtes dans un torchon et roulez-les sur le bord d'un plan de travail pour les casser en petits morceaux. Mettez-les dans un saladier et procédez de même avec le reste de pâtes.

Faites chauffer 3 cuillerées à soupe d'huile d'olive dans une sauteuse, puis faites rissoler le jambonneau, le chorizo et l'oignon 10 minutes à feu doux.

Ajoutez la passata, la purée de tomates, le safran, le bouillon, et portez à ébullition. Laissez frémir 15 minutes à feu très doux.

Incorporez les pâtes. Poursuivez la cuisson 10 minutes, en remuant régulièrement et en mouillant la préparation avec de l'eau si elle s'assèche. Incorporez les petits pois et prolongez la cuisson de 3 minutes.

Ajoutez l'ail, le persil, le zeste de citron et le reste d'huile. Vérifiez l'assaisonnement avant de servir.

Poulet aux linguine et à la tomate Remplacez le jambonneau par 4 blancs de poulet coupés en morceaux. Enrobez-les avec le mélange paprika-sel-poivre, comme à l'étape 1. Faites rissoler le poulet comme indiqué à l'étape 2, en remplaçant le chorizo par la même quantité de saucisse de porc fumée. Faites cuire avec du bouillon de poule.

rôti de porc aux pruneaux

Pour **5 ou 6 personnes**
Préparation **20 minutes**
+ repos
Cuisson **2 heures**

1 **rôti de porc** de 1 kg
25 g de **beurre**
1 c. à s. d'**huile d'olive**
3 c. à s. de **graines de moutarde**
2 **oignons** émincés
4 gousses d'**ail** pilées
2 branches de **céleri** émincées
1 c. à s. de **farine**
1 c. à s. de **thym** effeuillé
300 ml de **vin blanc**
150 g de **pruneaux** dénoyautés et coupés en deux
500 g de petites **pommes de terre nouvelles**
2 c. à s. de **menthe** ciselée
sel et **poivre**

Frottez le porc avec du sel et du poivre. Faites fondre le beurre avec l'huile d'olive dans une grande cocotte et faites rissoler le porc uniformément. Déposez-le sur un plat à l'aide d'une écumoire.

Faites dorer les oignons et les graines de moutarde 5 minutes dans la cocotte. Incorporez l'ail, le céleri, et prolongez la cuisson de 2 minutes. Ajoutez la farine et remuez 1 minute.

Ajoutez le thym et le vin, salez et poivrez. Laissez bouillonner avant de remettre le porc dans la cocotte. Couvrez et faites cuire 45 minutes dans le four préchauffé à 160 °C.

Répartissez les pruneaux, les pommes de terre et la menthe autour du porc, puis enfournez 1 heure jusqu'à ce que les pommes de terre soient bien tendres. Laissez reposer 15 minutes avant de servir.

Rôti de porc aux échalotes et aux pêches Remplacez les oignons par 4 échalotes à l'étape 2. Laissez les pruneaux de côté, ajoutez 2 pêches en tranches et 1 cuillerée à soupe de miel liquide 20 minutes avant la fin de la cuisson.

bœuf salé aux légumes de printemps

Pour **6 personnes**
Préparation **10 minutes** + repos
Cuisson **2 h 30**

1 **rôti de bœuf salé** de 1,75 kg (poitrine ou tranche grasse)
1 **oignon**
15 **clous de girofle**
300 g d'**oignons grelots** ou d'**échalotes** pelés et entiers
3 **feuilles de laurier**
brindilles de **thym** et de **persil**
½ c. à c. de **poivre de la Jamaïque**
300 g de petites **carottes**
1 petit **rutabaga** coupé en dés
500 g de **pommes de terre** farineuses coupées en morceaux
poivre
persil ciselé pour décorer

Mettez le bœuf dans une grande cocotte. Piquez l'oignon avec les clous de girofle. Ajoutez-le dans la cocotte avec les oignons grelots ou les échalotes, les feuilles de laurier, les herbes, le poivre de la Jamaïque et 1 grosse pincée de poivre.

Couvrez le bœuf d'eau à fleur, portez à ébullition et posez le couvercle. Faites cuire 2 h 30 dans le four préchauffé à 120 °C en ajoutant les carottes, le rutabaga et les pommes de terre au bout de 1 heure de cuisson. Mettez la viande sur un plat ou une planche à l'aide d'une écumoire et laissez-la reposer 15 minutes.

Découpez la viande en fines tranches et dressez-les sur des assiettes chaudes avec les légumes. Parsemez de persil et servez en présentant séparément le jus de cuisson. Vous pouvez accompagner ce plat de boulettes.

Boulettes Mélangez avec les doigts 50 g de beurre froid coupé en dés et 125 g de farine à levure incorporée jusqu'à obtention d'une chapelure. Ajoutez 2 cuillerées à soupe de persil ciselé et ½ cuillerée à café de thym. Salez et poivrez. Mélangez 1 œuf battu et mouillez avec de l'eau pour obtenir une pâte collante. Façonnez des boulettes d'une valeur de 1 cuillerée à soupe, puis mettez-les dans la cocotte lorsque la viande est cuite. Faites cuire 15 à 20 minutes à couvert sur la table de cuisson jusqu'à ce que les boulettes gonflent.

porc au cidre et patates douces

Pour **4 personnes**
Préparation **25 minutes**
Cuisson **1 h 30**

1 **jambonneau** désossé de 625 g
2 c. à c. de **farine**
25 g de **beurre**
1 c. à s. d'**huile végétale**
1 petit **oignon** haché
1 gros **poireau** coupé en rondelles
450 ml de **cidre**
1 c. à s. de **sauge** hachée
2 c. à s. de **moutarde à l'ancienne**
100 ml de **crème fraîche**
2 **poires** pelées, évidées et coupées en tranches
450 g de **patates douces** grattées et coupées en fines rondelles
2 c. à s. d'**huile au piment**
sel
persil ciselé pour décorer

Coupez le jambonneau en petits morceaux, en le dégraissant. Salez la farine pour en enrober le jambonneau.

Faites fondre le beurre avec l'huile dans une cocotte basse et faites rissoler les morceaux de porc en plusieurs fois. Déposez-les sur une assiette au fur et à mesure à l'aide d'une écumoire.

Faites revenir l'oignon et le poireau 5 minutes dans la cocotte. Remettez la viande dans la cocotte avec le cidre, la sauge et la moutarde. Portez à ébullition, couvrez et faites cuire 30 minutes à feu très doux.

Incorporez la crème fraîche dans la sauce, ajoutez les tranches de poires. Disposez les patates douces en couches superposées en réservant les plus belles tranches pour le dessus. Badigeonnez avec l'huile au piment et salez.

Faites cuire 45 minutes dans le four préchauffé à 160 °C jusqu'à ce que les pommes de terre soient tendres et légèrement dorées. Parsemez de persil.

Porc aux pommes de terre et au vin blanc
Remplacez le cidre par la même quantité de vin blanc sec à l'étape 3. Prenez la même quantité de pommes de terre que de patates douces et ajoutez-les dans la cocotte comme à l'étape 4. Prolongez le temps de cuisson d'environ 1 heure.

agneau rôti à la méditerranéenne

Pour **6 personnes**
Préparation **20 minutes**
+ repos
Cuisson **1 h 20 à 1 h 40**

1 c. à s. de **romarin** haché
2 c. à c. de **paprika doux**
1 **gigot d'agneau** de 1,5 kg
3 c. à s. d'**huile d'olive**
2 c. à s. de **purée de tomates** séchées
2 gousses d'**ail** pilées
2 **oignons rouges** coupés en quartiers
1 bulbe de **fenouil** coupé en quartiers
2 **poivrons rouges** épépinés et coupés en morceaux
2 **poivrons jaunes** ou **orange** épépinés et coupés en morceaux
3 **courgettes** coupées en rondelles épaisses
50 g de **pignons de pin**
300 ml de **vin rouge** ou **blanc**
sel et **poivre**

Mélangez le romarin et le paprika avec un peu de sel pour en enrober le gigot. Mettez-le dans une grande plaque à rôtir et enfournez 15 minutes à 220 °C.

Mélangez l'huile d'olive avec la purée de tomates et l'ail. Dans un saladier, mettez les oignons, le fenouil, les poivrons et les courgettes, puis ajoutez la préparation précédente et mélangez bien.

Baissez la température du four à 180 °C. Répartissez les légumes autour du gigot, dans la plaque à rôtir, ajoutez les pignons de pin et salez. Enfournez de nouveau 1 heure. (L'agneau doit être rosé au milieu. Si vous le préférez bien cuit, prolongez la cuisson de 20 minutes en prenant soin de transvaser les légumes sur un plat s'ils commencent à dorer.)

Mettez l'agneau sur un plat. Couvrez-le de papier d'aluminium et laissez-le reposer 15 minutes. Dressez les légumes sur un plat et réservez-les au chaud.

Déglacez la plaque à rôtir avec le vin en portant à ébullition sur la table de cuisson et en grattant le fond du récipient. Laissez réduire la sauce quelques minutes. Accompagnez de boulgour aux fruits secs.

Boulgour aux fruits secs Dans un saladier, mettez 375 g de boulgour, ¼ de cuillerée à café de cannelle et de muscade. Versez 400 ml d'eau ou de bouillon bien chauds, couvrez et laissez reposer 20 minutes dans un endroit chaud. Ajoutez 75 g de dattes hachées et de raisins de Smyrne épépinés avant de servir.

bœuf sauté aux légumes

Pour **4 personnes**
Préparation **15 minutes**
Cuisson **5 minutes**

- 3 c. à s. de **vinaigre de riz**
- 4 c. à s. de **miel** liquide
- 4 c. à s. de **sauce de soja claire**
- 3 c. à s. de **mirin**
- ½ **concombre**
- 1 bulbe de **fenouil** coupé en quatre
- 1 botte de **radis** parés
- 500 g de **rumsteck** ou d'**aloyau**
- 1 c. à s. de **Maïzena**
- 5 c. à s. d'**huile pour friture** (page 11)
- 1 **piment rouge** moyen épépiné et finement émincé
- 25 g de **gingembre frais** haché
- 1 botte d'**oignons blancs** finement émincés
- 300 g de **nouilles** spécial wok
- 25 g de **coriandre** ciselée

Mélangez le vinaigre, le miel, la sauce de soja et le mirin dans un petit saladier.

Coupez le concombre en deux dans la longueur et ôtez les graines. Émincez le concombre, le fenouil et les radis dans un robot ou à la main. Dégraissez le bœuf avant de l'émincer finement, puis saupoudrez-le de Maïzena.

Faites chauffer 2 cuillerées à soupe d'huile dans un wok ou une sauteuse. Faites sauter le piment, le gingembre et le bœuf pendant 1 minute. Déposez-les sur une grande assiette à l'aide d'une écumoire. Faites revenir les oignons dans le wok 1 minute, puis mettez-les dans l'assiette avec le bœuf.

Faites chauffer un peu d'huile pour faire dorer la moitié du mélange concombre-fenouil-radis 30 secondes. Déposez-les sur l'assiette. Procédez de même avec le reste des légumes.

Versez le reste d'huile dans le wok, ajoutez les nouilles et la coriandre. Remuez quelques secondes en sectionnant les nouilles, puis incorporez le bœuf et les légumes. Ajoutez la préparation au vinaigre et faites chauffer 30 secondes avant de servir.

Bœuf sauté aux légumes chinois Remplacez le concombre, le fenouil et les radis par 200 g de pois gourmands, 2 courgettes et 2 poivrons finement émincés. Faites-les sauter en 2 fois avec 200 g de châtaignes d'eau en boîte, coupées en deux, comme à l'étape 4.

foie d'agneau aux lardons et pruneaux

Pour **4 personnes**
Préparation **15 minutes**
Cuisson **1 heure**

400 g de **foie d'agneau** coupé en tranches
2 c. à c. de **farine**
8 tranches fines de **lard fumé**
16 **pruneaux** dénoyautés
3 c. à s. d'**huile d'olive**
2 gros **oignons** finement émincés
750 g de grosses **pommes de terre** coupées en rondelles
450 ml de **fond d'agneau** ou de **bouillon de poule** (pages 140 et 16)
3 c. à s. de **persil** ciselé pour décorer
sel et **poivre**

Détaillez le foie d'agneau en lanières épaisses en le parant. Salez et poivrez la farine avant d'en enrober les morceaux de foie. Coupez les tranches de lard de manière à les enrouler autour des pruneaux.

Faites chauffer la moitié de l'huile d'olive dans une cocotte et faites blondir les oignons. Déposez-les sur une assiette à l'aide d'une écumoire. Faites rissoler les morceaux de foie uniformément dans la cocotte et ajoutez-les sur l'assiette. Faites dorer soigneusement les pruneaux enroulés dans les morceaux de lard dans le reste d'huile, puis déposez-les sur l'assiette.

Réunissez les pommes de terre dans la cocotte et couvrez-les avec les ingrédients frits. Versez le bouillon, salez, poivrez et portez à ébullition. Couvrez et enfournez 50 minutes dans le four préchauffé à 180 °C. Décorez de persil avant de servir.

Foie d'agneau aux airelles et aux lardons Faites revenir 2 oignons finement émincés et 150 g de lardons 10 minutes dans 2 cuillerées à soupe d'huile chaude. Réservez. Faites rissoler 625 g de foie d'agneau coupé en tranches pendant 3 minutes à feu vif dans 25 g de beurre fondu en le retournant une ou deux fois (il doit être doré à l'extérieur et rosé à l'intérieur). Ajoutez 75 g d'airelles surgelées et 2 cuillerées à soupe de sauce aux airelles, de vinaigre de vin rouge et d'eau. Salez, poivrez et faites cuire 2 minutes en remuant. Mélangez les oignons, les lardons, et laissez chauffer.

porc au sirop d'érable et légumes rôtis

Pour **4 personnes**
Préparation **20 minutes**
Cuisson **1 h 30**

12 **échalotes** ou **oignons grelots** pelés et entiers
500 g de petites **pommes de terre** à chair ferme coupées en cubes
300 g de petites **carottes**
300 g de petits **navets** coupés en quartiers
3 c. à s. d'**huile d'olive**
2 **courgettes** coupées en morceaux
quelques brindilles de **romarin**
1 c. à s. de **moutarde à l'ancienne**
3 c. à s. de **sirop d'érable**
4 grosses **côtes de porc** dégraissées
sel et **poivre**

Dans une grande plaque à rôtir, mettez les oignons ou les échalotes, les pommes de terre, les carottes et les navets. Arrosez d'huile d'olive puis secouez la plaque pour en enrober les légumes. Salez, poivrez, puis enfournez 30 minutes dans le four préchauffé à 190 °C.

Ajoutez les courgettes, le romarin, et remuez. Prolongez la cuisson de 10 minutes.

Mélangez la moutarde avec le sirop d'érable et un peu de sel. Placez les côtes de porc au milieu des légumes et badigeonnez-les avec la moitié de cette préparation. Enfournez de nouveau 20 minutes.

Retournez les côtes de porc pour badigeonner l'autre côté avec le reste de préparation. Poursuivez la cuisson 15 minutes.

Porc au miel et au citron Remplacez les carottes et les navets par 2 grosses courgettes et 3 poivrons rouges coupés en morceaux, et faites cuire comme ci-dessus. À l'étape 3, substituez au mélange moutarde-sirop d'érable 2 cuillerées à soupe de miel liquide mélangées à 2 cuillerées à soupe de jus de citron et un morceau de gingembre frais, râpé, de 2 à 3 cm. Procédez comme ci-dessus pour badigeonner les côtes de porc.

escalopes de porc farcies au cidre

Pour **4 personnes**
Préparation **25 minutes**
Cuisson **1 h 30**

4 **escalopes de porc** de 2 à 3 cm d'épaisseur
50 g de **noisettes** grillées
1 gousse d'**ail** pilée
3 **oignons blancs** finement hachés
4 **abricots secs** préalablement trempés, finement hachés
4 c. à s. d'**huile végétale**
625 g de **pommes de terre** à chair ferme coupées en petits morceaux
1 **oignon rouge** coupé en quartiers
1 **pomme** pelée, évidée et coupée en quartiers
2 **cœurs de chicorée de Trévise** détaillés en quartiers
2 c. à c. de **farine**
300 ml de **cidre demi-sec**
sel et **poivre**

À l'aide d'un couteau pointu, ouvrez les escalopes de porc dans l'épaisseur de manière à pouvoir les farcir, sans les couper complètement en deux.

Broyez finement les noisettes dans un robot. Ajoutez l'ail, les oignons et les abricots secs. Salez, poivrez et mixez de nouveau. Remplissez les escalopes avec la préparation en les aplatissant avec la paume des mains. Salez et poivrez les escalopes.

Faites chauffer 1 cuillerée à soupe d'huile dans une grande plaque à rôtir et faites rissoler les escalopes des deux côtés. Déposez-les sur une assiette à l'aide d'une écumoire.

Mélangez les pommes de terre et l'oignon avec le reste d'huile dans la plaque à rôtir. Enfournez 40 minutes dans le four préchauffé à 200 °C jusqu'à ce que les pommes de terre soient dorées, en les retournant une fois.

Ajoutez les escalopes dans la plaque et poursuivez la cuisson 15 minutes. Incorporez les morceaux de pomme et de chicorée en les enrobant avec l'huile de la plaque, puis enfournez de nouveau 20 minutes. Dressez les escalopes et les légumes sur des assiettes chaudes.

Délayez la farine dans le jus de cuisson en grattant les sucs caramélisés. Déglacez avec le cidre et laissez épaissir la sauce. Salez et poivrez avant de servir avec la viande et les légumes.

veau aux tomates et aux câpres

Pour **4 personnes**
Préparation **20 minutes**
Cuisson **2 h 30**

1 c. à s. de **farine**
4 tranches épaisses de **jarret de veau**
4 c. à s. d'**huile d'olive**
2 **oignons** finement hachés
2 gousses d'**ail** pilées
75 g de **prosciutto** détaillé en lanières
le **zeste** de 1 **citron** en lanières
300 ml de **vin blanc**
quelques brindilles de **thym**
4 **tomates** pelées et coupées en quartiers
2 c. à s. de **câpres** rincées et égouttées
sel et **poivre**

Salez et poivrez la farine avant d'en enrober les morceaux de viande. Faites chauffer l'huile d'olive dans une cocotte et faites-les rissoler uniformément. Déposez-les sur une assiette à l'aide d'une écumoire.

Faites revenir les oignons 5 minutes dans la cocotte. Ajoutez l'ail, le prosciutto, le zeste de citron, et faites-les sauter 1 minute. Versez le vin et parfumez avec le thym avant de porter à ébullition.

Remettez le veau dans la cocotte et répartissez les tomates tout autour. Incorporez les câpres et couvrez. Enfournez 2 heures dans le four préchauffé à 160 °C. Vérifiez l'assaisonnement avant de servir. Accompagnez de polenta à l'ail et au piment.

Polenta à l'ail et au piment Portez à ébullition 1 litre d'eau salée dans une grande casserole. Pendant ce temps, faites revenir 1 gousse d'ail pilée avec 1 pincée de flocons de piment séché pendant 1 minute dans 25 g de beurre fondu. Retirez du feu. Versez progressivement 150 g de polenta dans l'eau bouillante, ajoutez le mélange beurre-ail-piment et 2 cuillerées à soupe d'herbes ciselées. Laissez épaissir la polenta en remuant 8 à 10 minutes. Mélangez hors du feu 25 g de beurre et 50 g de parmesan fraîchement râpé. Salez et poivrez.

risotto fèves-pancetta-fontina

Pour **2 personnes**
Préparation **15 minutes**
Cuisson **30 minutes**

3 c. à s. d'**huile d'olive**
1 **oignon** finement haché
3 gousses d'**ail** pilées
75 g de **pancetta** hachée
250 g de **riz pour risotto**
½ c. à c. de **mélange d'herbes séchées**
900 ml de **bouillon de poule** ou **de légumes** (pages 16 et 190)
125 g de **fèves** (décongelées, si surgelées)
75 g de **petits pois**
75 g de **fontina** grossièrement râpée
50 g de **beurre**
2 c. à s. de **parmesan** fraîchement râpé + quelques copeaux pour décorer
1 c. à s. de feuilles de **menthe** ciselées
6 à 8 feuilles de **basilic** détaillées en lanières + quelques-unes pour décorer
sel et **poivre**

Faites chauffer l'huile d'olive dans une sauteuse pour faire blondir l'oignon. Ajoutez l'ail, la pancetta, et laissez-les dorer. Versez le riz et remuez pour l'enrober d'huile.

Incorporez les herbes et versez le bouillon chaud à feu moyen. Portez à ébullition, sans cesser de remuer, salez et poivrez. Laissez frémir 10 minutes en remuant. Ajoutez les fèves avec les petits pois, puis poursuivez la cuisson 10 minutes.

Retirez la sauteuse du feu et incorporez la fontina. Parsemez de beurre et de parmesan. Couvrez et laissez fondre le beurre et le fromage 2 à 3 minutes.

Retirez le couvercle et ajoutez la menthe et le basilic. Remuez bien. Décorez de feuilles de basilic et de copeaux de parmesan avant de servir.

Risotto aux tomates et aux champignons Faites revenir 1 oignon, 250 g de champignons émincés, 2 gousses d'ail pilées, 1 cuillerée à café d'origan et 3 grosses tomates concassées pendant 5 minutes, à feu doux. Versez 400 g de riz pour risotto et 1 litre de bouillon chaud. Faites cuire à feu doux jusqu'à ce que le liquide soit absorbé. Versez le reste de bouillon louche par louche, et poursuivez la cuisson 25 minutes. Lorsque le liquide est entièrement absorbé, mélangez 25 g de beurre et 40 g de parmesan. Salez et poivrez.

saucisses aux patates douces

Pour **4 personnes**
Préparation **15 minutes**
Cuisson **45 minutes**

3 c. à s. d'**huile d'olive**
8 **saucisses de porc**
3 gros **oignons rouges** finement émincés
1 c. à c. de **sucre en poudre**
500 g de **patates douces** grattées et coupées en petits morceaux
8 feuilles de **sauge**
2 c. à s. de **vinaigre balsamique**
sel et **poivre**

Faites chauffer l'huile d'olive dans une cocotte ou une sauteuse, puis faites rissoler les saucisses 10 minutes en les retournant régulièrement. Déposez-les sur une assiette à l'aide d'une écumoire.

Faites dorer les oignons et le sucre dans la cocotte en remuant à feu doux. Remettez les saucisses dans la cocotte avec les patates douces et les feuilles de sauge. Salez et poivrez.

Couvrez la cocotte avec un couvercle ou du papier d'aluminium, puis faites cuire 25 minutes à feu très doux jusqu'à ce que les patates douces soient tendres.

Arrosez avec le vinaigre et vérifiez l'assaisonnement avant de servir. Servez avec du cresson à l'ail et à la muscade.

Cresson à l'ail et à la muscade Faites chauffer 4 cuillerées à soupe d'huile d'olive dans une grande casserole, ajoutez 1 gousse d'ail pilée et remuez 1 minute. Incorporez 750 g de cresson et faites-le sauter 1 à 2 minutes à feu vif. Salez, poivrez, parfumez avec de la noix de muscade fraîchement râpée.

daube de bœuf

Pour **5 ou 6 personnes**
Préparation **20 minutes**
Cuisson **1 h 30**

1 c. à s. de **farine**
1 kg de **bœuf à braiser** coupé en dés
4 c. à s. d'**huile d'olive**
100 g de **lardons**
1 gros **oignon** haché
4 gousses d'**ail** pilées
quelques lanières de **zeste d'orange**
200 g de **carottes** coupées en rondelles
quelques brindilles de **thym**
300 ml de **vin rouge**
300 ml de **bouillon de bœuf** (page 138)
100 g d'**olives noires** dénoyautées
4 c. à s. de **purée de tomates séchées**
sel et **poivre**

Salez et poivrez la farine pour en enrober le bœuf. Faites chauffer l'huile d'olive dans une grande cocotte, puis faites rissoler les morceaux de viande en plusieurs fois en les déposant au fur et à mesure sur une assiette. Faites revenir les lardons et l'oignon pendant 5 minutes.

Remettez la viande dans la cocotte avec l'ail, le zeste d'orange, les carottes, le thym, le vin et le bouillon. Portez à ébullition, couvrez et enfournez 1 h 15 dans le four préchauffé à 160 °C.

Mixez par brèves impulsions les olives et la purée de tomates pour hacher les olives. Incorporez le mélange obtenu dans la cocotte, puis enfournez de nouveau 15 minutes. Vérifiez l'assaisonnement avec des haricots ou une purée de pommes de terre.

Bœuf bourguignon Faites mariner la même quantité de bœuf toute une nuit dans le mélange suivant : 1 oignon émincé, des brins de persil et de thym, 1 feuille de laurier écrasée, ½ litre de bordeaux rouge, 2 cuillerées à soupe de cognac et 2 cuillerées à soupe d'huile d'olive. Faites revenir 150 g de lardons dans 50 g de beurre fondu, dans une cocotte, puis 24 petits oignons confits au vinaigre et 500 g de champignons de Paris. Retirez le bœuf de la marinade pour le faire rissoler dans la cocotte. Ajoutez 1 cuillerée à soupe de farine, la marinade filtrée, 300 ml de bouillon de bœuf, 1 gousse d'ail écrasée, 1 bouquet garni. Salez, poivrez et laissez frémir 2 heures à couvert. Remettez les lardons, les oignons et les champignons dans la cocotte, couvrez et poursuivez la cuisson 30 minutes à feu doux.

végétarien

gnocchis épinards-gorgonzola

Pour **3 ou 4 personnes**
Préparation **5 minutes**
Cuisson **10 minutes**

250 g d'**épinards** tendres
300 ml de **bouillon de légumes** (voir ci-contre)
500 g de **gnocchis** aux pommes de terre
150 g de **gorgonzola** coupé en petits morceaux
3 c. à s. de **crème fraîche épaisse**
1 bonne pincée de **noix de muscade**
poivre

Lavez soigneusement les feuilles d'épinards, puis épongez-les avec du papier absorbant.

Portez le bouillon à ébullition dans une grande casserole. Plongez-y les gnocchis et portez de nouveau à ébullition. Faites cuire 2 à 3 minutes jusqu'à ce que les gnocchis soient gonflés.

Ajoutez le fromage, la crème fraîche et la muscade. Laissez chauffer jusqu'à ce que le fromage fonde et forme une sauce veloutée.

Incorporez les épinards et poursuivez la cuisson 1 à 2 minutes, en remuant. Dressez sur des assiettes et poivrez généreusement.

Bouillon de légumes Faites chauffer 2 cuillerées à soupe d'huile d'olive dans une grande casserole. Faites revenir 5 minutes 1 gros oignon haché, 2 carottes et 125 g de navets en morceaux, 3 branches de céleri et 125 g de champignons émincés. Ajoutez 2 feuilles de laurier, des brins de persil et des brindilles de thym, 2 tomates concassées, 2 cuillerées à café de grains de poivre noir, la pelure de l'oignon et couvrez avec 2 litres d'eau. Portez à ébullition, couvrez partiellement, puis faites frémir 1 heure. Laissez refroidir avant de filtrer. Ce bouillon se conserve 2 jours au réfrigérateur, davantage au congélateur.

risotto aux betteraves

Pour **4 personnes**
Préparation **5 à 10 minutes**
Cuisson **30 minutes**

1 c. à s. d'**huile d'olive**
15 g de **beurre**
1 c. à c. de **graines de coriandre** pilées
4 **oignons blancs** finement émincés
400 g de **betteraves** cuites coupées en dés de 1 cm
500 g de **riz pour risotto**
1,5 l de **bouillon de légumes** chaud (page 190)
200 g de **fromage frais**
4 c. à s. d'**aneth** finement haché
sel et **poivre**
brins d'**aneth** (facultatif)
crème fraîche (facultatif)

Faites chauffer l'huile d'olive et le beurre dans une grande casserole, puis faites revenir les graines de coriandre et les oignons 1 minute.

Ajoutez les betteraves et le riz. Faites revenir 2 à 3 minutes en enrobant le riz de matière grasse. Versez le bouillon, louche par louche, en remuant jusqu'à ce que le liquide soit absorbé avant chaque ajout. Comptez environ 25 minutes de cuisson ; le riz doit être tendre, mais légèrement croquant.

Incorporez le fromage frais et l'aneth, salez et poivrez. Garnissez éventuellement d'aneth et de crème fraîche avant de servir.

Risotto aux épinards et au citron Faites chauffer l'huile et le beurre, puis faites revenir 2 échalotes finement hachées et 2 gousses d'ail pilées pendant 3 minutes. Ajoutez 300 g de riz pour risotto et versez progressivement 1 litre de bouillon de légumes. Avant d'ajouter la dernière louche de bouillon, incorporez 500 g d'épinards hachés, le zeste râpé et le jus de 1 citron, salez et poivrez. Augmentez le feu et remuez avant de mélanger le reste de bouillon et 50 g de beurre. Laissez chauffer quelques minutes. Incorporez 50 g de parmesan râpé. Garnissez éventuellement de parmesan et de zeste de citron râpé avant de servir.

tortilla aux fèves et fromage de chèvre

Pour **4 personnes**
Préparation **15 minutes**
Cuisson **40 minutes**

75 ml d'**huile d'olive**
1 **oignon** haché
625 g de **pommes de terre** moyennes à chair ferme, coupées en rondelles
6 **œufs**
2 c. à c. de **grains de poivre vert en saumure** rincés, égouttés et légèrement écrasés
200 g de **fromage de chèvre** émietté
125 g de **fèves** surgelées
sel

Faites chauffer l'huile d'olive dans une poêle de 24 cm de diamètre. Ajoutez l'oignon, les pommes de terre, et salez. Faites cuire 15 à 20 minutes à feu très doux jusqu'à ce que les pommes de terre soient tendres. S'il reste beaucoup d'huile dans la poêle, videz-en une partie, mais gardez-en un peu pour la fin de la cuisson.

Battez les œufs dans un saladier avec les grains de poivre et un peu de sel.

Mélangez le fromage et les fèves avec la préparation aux pommes de terre. Étalez le tout au fond de la poêle, couvrez avec les œufs. Baissez le feu au minimum et faites cuire 10 à 15 minutes. Faites dorer 5 minutes sous le gril préchauffé à chaleur modérée. Servez chaud ou froid avec une salade.

Tortilla aux haricots verts et aux poivrons Laissez de côté les grains de poivre, le fromage de chèvre et les fèves. Ajoutez avec l'oignon et les pommes de terre 2 poivrons rouges émincés, ou 1 rouge et 1 vert, et des haricots verts coupés en tronçons. Versez sur les œufs et faites cuire comme ci-dessus.

caldo verde

Pour **4 personnes**
Préparation **15 minutes**
Cuisson **35 minutes**

125 g de **chou frisé**
4 c. à s. d'**huile d'olive**
1 gros **oignon** haché
625 g de **pommes de terre** farineuses coupées en petits morceaux
2 gousses d'**ail** pilées
1 l de **bouillon de légumes** (page 190)
400 g de **haricots blancs** en boîte, égouttés
15 g de **coriandre** ciselée
sel et **poivre**

Taillez la base des côtes du chou, puis enroulez les feuilles en serrant. À l'aide d'un grand couteau, détaillez-les en lanières aussi finement que possible.

Faites chauffer l'huile d'olive dans une grande poêle, puis faites revenir l'oignon 5 minutes. Ajoutez les pommes de terre et faites-les sauter 10 minutes. Ajoutez l'ail et remuez le tout pendant 1 minute.

Versez le bouillon et portez à ébullition. Laissez frémir 10 minutes jusqu'à ce que les pommes de terre soient tendres. Écrasez-les grossièrement dans la soupe à l'aide d'un presse-purée.

Incorporez les haricots, les lanières de chou, la coriandre, puis poursuivez la cuisson 10 minutes. Salez et poivrez avant de servir.

Colcannon (plat irlandais) Faites bouillir 500 g de pommes de terre non pelées. Égouttez-les. En même temps, faites bouillir 500 g de chou vert en fines lanières pendant 10 minutes. Égouttez puis ajoutez 6 oignons blancs finement hachés. Pelez les pommes de terre puis écrasez-les avec 150 ml de lait dans un saladier, puis incorporez le chou et les oignons. Salez, poivrez, puis ajoutez 50 g de beurre.

ragoût citrouille légumes-racines

Pour **8 à 10 personnes**
Préparation **20 minutes**
Cuisson **1 h 30 à 2 heures**

1 **citrouille** d'environ 1,5 kg
4 c. à s. d'**huile de tournesol** ou **d'olive**
1 gros **oignon** finement haché
3 ou 4 gousses d'**ail** pilées
1 petit **piment rouge** épépiné et haché
4 branches de **céleri** coupées en tronçons de 3 cm
500 g de **carottes** coupées en morceaux de 3 cm
250 g de **navets** coupés en morceaux de 3 cm
800 g de **tomates olivettes** en boîte
3 c. à s. de **purée de tomates**
1 ou 2 c. à s. de **paprika fort**
250 ml de **bouillon de légumes** (page 190)
1 **bouquet garni**
800 g de **haricots rouges** en boîte, égouttés
sel et **poivre**
3 ou 4 c. à s. de **persil** ciselé pour décorer

Coupez la citrouille en deux horizontalement, jetez les graines et les fibres. Détaillez la chair en cubes, en retirant l'écorce, de manière à en recueillir environ 1 kg.

Faites chauffer l'huile dans une grande casserole puis faites revenir l'oignon, l'ail et le piment. Ajoutez la citrouille, le céleri, et faites-les sauter 10 minutes. Incorporez les carottes, les navets, les tomates, la purée de tomates, le paprika, le bouillon et le bouquet garni. Portez à ébullition, couvrez et laissez frémir 1 heure à 1 h 30, jusqu'à ce que les légumes soient presque tendres.

Ajoutez les haricots rouges, puis poursuivez la cuisson pendant 10 minutes. Salez, poivrez et décorez de persil avant de servir avec une purée de pommes de terre à l'ail. Ce ragoût est encore meilleur réchauffé.

Goulasch à la citrouille Faites chauffer 2 cuillerées à soupe d'huile dans une cocotte et faites revenir 1 oignon haché. Ajoutez 1 cuillerée à soupe de paprika et 1 cuillerée à café de graines de carvi puis remuez 1 minute. Ajoutez 400 g de tomates concassées en boîte et 2 cuillerées à soupe de cassonade, portez à ébullition. Incorporez 375 g de citrouille en tranches, 250 g de pommes de terre en dés, 1 grosse carotte en rondelles et 1 poivron rouge haché. Salez, poivrez, couvrez et portez à ébullition. Laissez frémir 1 heure à 1 h 30. Incorporez 150 ml de crème aigre avant de servir.

soupe de tomates au pain

Pour **4 personnes**
Préparation **15 minutes**
Cuisson **30 minutes**

1 kg de **tomates** pelées, épépinées et concassées
300 ml de **bouillon de légumes** (page 190)
6 c. à s. d'**huile d'olive**
2 gousses d'**ail** pilées
1 c. à c. de **sucre**
2 c. à s. de **basilic** ciselé
100 g de **pain rassis** écroûté
1 c. à s. de **vinaigre balsamique**
sel et **poivre**
pesto vert (voir ci-contre) pour la garniture

Dans une casserole, mettez les tomates, le bouillon, 2 cuillerées à soupe d'huile d'olive, l'ail, le sucre et le basilic. Portez à ébullition, couvrez et laissez frémir 30 minutes.

Émiettez le pain dans la soupe et laissez épaissir à feu doux en remuant. Versez le vinaigre et le reste d'huile, salez et poivrez. Servez aussitôt ou laissez refroidir à température ambiante. Déposez une cuillerée de pesto dans chaque bol avant de servir.

Pesto vert Écrasez ou mixez 50 g de feuilles de basilic avec 50 g de pignons de pin, 2 gousses d'ail et 65 g de parmesan râpé. Mélangez 125 g d'huile d'olive jusqu'à obtention d'une pâte épaisse. Salez et poivrez. Ce condiment se conserve 5 jours au réfrigérateur dans un récipient hermétique.

potée de saucisses végétariennes

Pour **4 personnes**
Préparation **10 minutes**
Cuisson **40 minutes**

40 g de **beurre** ramolli
1 c. à s. d'**huile d'olive**
8 **saucisses végétariennes**
100 g de **champignons de Paris** émincés
1 **oignon rouge** émincé
200 g de **lentilles du Puy** rincées
400 ml de **bouillon de légumes** (page 190)
2 c. à s. d'**origan** haché
2 c. à s. de **purée de tomates séchées**
300 g de **tomates cerises** coupées en deux
1 gousse d'**ail** pilée
2 c. à s. de **persil** ciselé
8 petites tranches de **ciabatta** ou 4 grandes
sel et **poivre**

Faites fondre la moitié du beurre avec l'huile d'olive dans une sauteuse ou une cocotte puis faites rissoler les saucisses avec les champignons et l'oignon.

Ajoutez les lentilles, le bouillon, l'origan et la purée de tomates. Portez à ébullition, couvrez et laissez frémir 20 minutes jusqu'à ce que les lentilles soient tendres et le bouillon presque absorbé.

Incorporez les tomates cerises, vérifiez l'assaisonnement et poursuivez la cuisson 5 minutes.

Pendant ce temps, mélangez l'ail et le persil avec le reste de beurre pour en garnir les tranches de ciabatta. Déposez-les sur la préparation et faites-les griller 5 minutes sous le gril préchauffé à chaleur modérée.

Steaks végétariens épicés Faites chauffer 1 cuillerée à soupe d'huile d'olive, puis faites revenir ½ oignon rouge, 1 gousse d'ail et 1 cuillerée à café de gingembre râpé, de cumin, de coriandre et de piment en poudre pendant 10 minutes. Laissez tiédir avant de mélanger 400 g de haricots rouges en boîte, 75 g de chapelure, 2 cuillerées à soupe de coriandre et de sauce de soja. Salez et poivrez. Façonnez 8 steaks de cette préparation avec les mains humides, puis faites-les rissoler 2 à 3 minutes de chaque côté. Ces steaks peuvent remplacer les saucisses végétariennes dans la potée, ou être servis avec une sauce tomate.

soupe au fenouil et au citron

Pour **4 personnes**
Préparation **20 minutes**
Cuisson **30 minutes**

6 c. à s. d'**huile d'olive**
1 **oignon** haché
1 bulbe de **fenouil** de 250 g, finement émincé
1 **pomme de terre** coupée en dés
le **zeste** finement râpé et le **jus** de 1 **citron**
900 ml de **bouillon de légumes** (page 190)
sel et **poivre**

Gremolata aux olives noires
1 petite gousse d'**ail** pilée
le **zeste** finement râpé de 1 **citron**
4 c. à s. de **persil** ciselé
16 **olives noires** dénoyautées et hachées

Faites chauffer l'huile d'olive dans une grande casserole, puis faites revenir l'oignon pendant 5 à 10 minutes. Ajoutez le fenouil, la pomme de terre, le zeste de citron, et faites cuire 5 minutes. Versez le bouillon de légumes et portez à ébullition. Couvrez, puis laissez frémir 15 minutes jusqu'à ce que les légumes soient tendres.

Pendant ce temps, préparez la gremolata. Mélangez l'ail, le zeste de citron, le persil et les olives. Couvrez et mettez au réfrigérateur.

Mixez la soupe et passez-la à travers un chinois pour éliminer les fibres du fenouil. Si elle est trop épaisse, allongez-la avec du bouillon. Remettez-la dans la casserole nettoyée. Salez et poivrez généreusement, arrosez de jus de citron. Versez dans des bols chauds et garnissez de gremolata. Servez éventuellement avec du pain grillé.

Gremolata aux olives vertes et au thym Mélangez 1 gousse d'ail pilée, le zeste finement râpé de 1 citron, 4 cuillerées à soupe de persil ciselé et 2 cuillerées à café de thym citronné effeuillé. Mélangez 16 olives vertes dénoyautées et hachées. Garnissez-en la soupe préparée selon les indications ci-dessus et arrosez d'huile d'olive au citron avant de servir.

lasagne piments fromage de chèvre

Pour **4 personnes**
Préparation **20 minutes**
+ repos
Cuisson **50 minutes à 1 heure**

325 g de **pimientos** en boîte
6 **tomates** pelées et concassées
1 **poivron jaune** épépiné et finement haché
2 **courgettes** coupées en fines rondelles
75 g de **tomates séchées** finement émincées
100 g de **pesto de tomates séchées**
25 g de **basilic**
4 c. à s. d'**huile d'olive**
150 g de **fromage de chèvre** frais et doux
600 ml de **sauce au fromage** (voir ci-contre)
150 g de **feuilles de lasagne séchées**
6 c. à s. de **parmesan** râpé
sel et **poivre**

Égouttez les pimientos avant de les hacher grossièrement. Mélangez-les dans un saladier avec les tomates, le poivron, les courgettes, les tomates séchées et le pesto de tomates séchées. Déchiquetez les feuilles de basilic pour les ajouter dans le saladier avec l'huile. Salez, poivrez et remuez soigneusement.

Garnissez le fond d'un plat à four de 2 litres avec un quart de la préparation. Répartissez dessus un quart du fromage de chèvre, nappez avec 4 cuillerées à soupe de sauce au fromage. Couvrez avec un tiers des lasagne, en les cassant si besoin. Procédez de même avec le reste des ingrédients, en terminant avec la préparation à la tomate et le fromage de chèvre.

Versez le reste de sauce au fromage et parsemez de parmesan. Enfournez 50 à 60 minutes dans le four préchauffé à 190 °C. Laissez reposer 10 minutes avant de servir avec une salade verte.

Sauce au fromage Dans une casserole, portez à ébullition 500 ml de lait, 1 petit oignon et 1 feuille de laurier. Laissez reposer 20 minutes hors du feu. Filtrez dans un pichet, jetez l'oignon et le laurier. Faites revenir 50 g de farine dans 50 g de beurre fondu 1 à 2 minutes. Ajoutez progressivement le lait hors du feu en fouettant. Portez à ébullition en remuant et laisser chauffer 2 minutes. Hors du feu, incorporez 125 g de gruyère ou de cheddar râpé.

soupe aux haricots secs et tomates

Pour **4 personnes**
Préparation **10 minutes**
Cuisson **20 minutes**

3 c. à s. d'**huile d'olive**
1 **oignon** finement haché
2 branches de **céleri** finement émincées
2 gousses d'**ail** finement émincées
800 g de **haricots secs** en boîte, rincés et égouttés
4 c. à s. de **purée de tomates séchées**
900 ml de **bouillon de légumes** (page 190)
1 c. à s. de **thym** ou de **romarin**
sel et **poivre**
copeaux de **parmesan** pour servir

Faites chauffer l'huile dans une casserole, puis faites blondir l'oignon 3 minutes. Incorporez le céleri, l'ail, et faites-les revenir 2 minutes.

Ajoutez les haricots, la purée de tomates séchées, le bouillon de légumes, le thym ou le romarin, salez et poivrez. Portez à ébullition, couvrez et laissez frémir 15 minutes. Décorez de copeaux de parmesan avant de servir. Cette soupe peut constituer un repas léger avec du pain et du parmesan.

Soupe épicée aux carottes et aux lentilles Faites chauffer 2 cuillerées à soupe d'huile dans une casserole. Faites revenir 1 oignon haché, 2 gousses d'ail pilées et 375 g de carottes en morceaux 10 minutes. Incorporez 400 g de lentilles en boîte égouttées, 2 cuillerées à café de coriandre en poudre, 1 cuillerée à café de cumin en poudre et 1 cuillerée à soupe de thym effeuillé. Remuez pendant 1 minute. Ajoutez 1 litre de bouillon de légumes, 400 g de tomates en boîte, 2 cuillerées à café de jus de citron. Portez à ébullition, couvrez et laissez frémir 20 minutes. Mixez, puis remettez sur le feu.

haricots rouges et salsa à l'avocat

Pour **4 à 6 personnes**
Préparation **15 minutes**
Cuisson **30 minutes**

3 c. à s. d'**huile d'olive**
2 c. à c. de **graines de cumin** pilées
1 c. à c. d'**origan**
1 **oignon rouge** haché
1 branche de **céleri** hachée
1 **piment rouge** de force moyenne, épépiné et émincé
800 g de **tomates** concassées en boîte
50 g de **tomates séchées**, finement émincées
2 c. à c. de **sucre**
300 ml de **bouillon de légumes** (page 190)
800 g de **haricots rouges** en boîte
1 bouquet de **coriandre** haché
1 petit **avocat**
2 **tomates**
2 c. à s. de **sauce aux piments doux**
2 c. à c. de **jus de citron vert**
100 g de **crème aigre**
sel et **poivre**

Faites chauffer l'huile d'olive dans une grande casserole. Faites revenir les graines de cumin, l'origan, l'oignon, le céleri et le piment 6 à 8 minutes jusqu'à ce que les légumes commencent à dorer.

Ajoutez les tomates en boîte et les tomates séchées, le sucre, le bouillon de légumes, les haricots, la coriandre, et portez à ébullition. Laissez la sauce épaissir pendant 20 minutes.

Pour préparer la salsa, détaillez finement l'avocat dans un petit saladier. Coupez les tomates en deux, ôtez les graines et hachez la pulpe. Ajoutez dans le saladier la sauce aux piments doux et le jus de citron vert. Mélangez.

Salez et poivrez la préparation aux haricots avant de la dresser dans des bols. Garnissez de crème aigre et de salsa à l'avocat. Servez avec de la pita ou des pains plats grillés.

Ragoût de haricots Faites chauffer 4 cuillerées à soupe d'huile d'olive dans une petite casserole. Faites revenir 3 minutes 2 gousses d'ail pilées, 1 cuillerée à soupe de romarin haché et 2 cuillerées à café de zeste de citron râpé pendant 3 minutes. Ajoutez 800 g de haricots en boîte avec leur jus, 4 grosses tomates pelées et concassées, un peu de piment en poudre. Portez à ébullition, puis laissez épaissir 8 à 10 minutes à feu vif. Salez et poivrez avant de servir avec la salsa à l'avocat et la crème aigre.

haricots rouges au lait de coco

Pour **4 personnes**
Préparation **8 minutes**
Cuisson **25 minutes**

3 c. à s. d'**huile d'arachide** ou **végétale**
2 **oignons** hachés
2 petites **carottes** coupées en fines rondelles
3 gousses d'**ail** pilées
1 **poivron rouge** épépiné et haché
2 **feuilles de laurier**
1 c. à s. de **paprika**
3 c. à s. de **purée de tomates**
400 ml de **lait de coco**
200 g de **tomates** concassées en boîte
150 ml de **bouillon de légumes** (page 190)
400 g de **haricots rouges** en boîte rincés et égouttés
100 g de **noix de cajou** non salées, grillées
1 petit bouquet de **coriandre** ciselé
sel et **poivre**

Faites chauffer l'huile dans une grande casserole, puis faites sauter les oignons et les carottes 3 minutes. Ajoutez l'ail, le poivron rouge, les feuilles de laurier, et faites revenir 5 minutes jusqu'à ce que les légumes soient bien dorés.

Mélangez le paprika, la purée de tomates, le lait de coco, les tomates, le bouillon de légumes, les haricots, et portez à ébullition. Laissez frémir 15 minutes à découvert jusqu'à ce que les légumes soient tendres.

Incorporez les noix de cajou et la coriandre. Salez, poivrez et laissez chauffer 2 minutes. Servez avec du pilaf au riz rouge ou du pain aux céréales.

Pilaf au riz rouge Dans une casserole, mettez 275 g de riz rouge de Camargue, 1 litre de bouillon de légumes chaud et 1 gousse d'ail pilée. Portez à ébullition, puis laissez frémir 20 à 25 minutes à feu doux jusqu'à ce que le riz soit tendre, en mouillant si besoin la préparation avec de l'eau si elle s'assèche. Mélangez 2 cuillerées à soupe de persil ciselé, le jus et le zeste finement râpé de 1 citron, 2 cuillerées à soupe d'huile d'olive et 1 cuillerée à café de sucre en poudre. Salez et poivrez.

raviolis au bouillon de légumes et à la crème

Pour **3 ou 4 personnes**
Préparation **10 minutes**
Cuisson **15 minutes**

3 c. à s. d'**huile d'olive**
1 gros bulbe de **fenouil** finement haché
150 g de **champignons de Paris** coupés en deux
2 c. à s. d'**estragon**, de **persil** ou de **vert de fenouil** hachés
750 ml de **bouillon de légumes** (page 190)
200 g de **brocoli violet** (italien), coupé en deux dans la longueur, puis en sections de 5 cm
300 g de **ravioli** ou de **tortellini** au fromage ou aux épinards
6 c. à s. de **crème fraîche épaisse**
1 grosse pincée de **noix de muscade** fraîchement râpée
sel et **poivre**
parmesan fraîchement râpé pour la garniture

Faites chauffer l'huile d'olive dans une grande casserole, puis faites revenir le fenouil 5 minutes. Incorporez les champignons et poursuivez la cuisson 5 minutes.

Ajoutez les herbes et le bouillon de légumes, portez à ébullition. Mélangez le brocoli et portez de nouveau à ébullition. Incorporez les pâtes et faites-les cuire 3 minutes.

Incorporez la crème fraîche et la noix de muscade, salez et poivrez. Dressez dans des bols à soupe et garnissez de parmesan avant de servir.

Soupe d'épinards et de pois chiches aux pâtes

Faites chauffer 2 cuillerées à soupe d'huile d'olive dans une grande casserole. Faites revenir 2 gousses d'ail pilées, 1 oignon haché et 1 cuillerée à soupe de romarin haché pendant 5 minutes. Ajoutez 800 g de pois chiches en boîte avec le jus et 1,5 litre de bouillon de légumes. Portez à ébullition, couvrez et laissez frémir 30 minutes. Mélangez 75 g de petites pâtes et poursuivez la cuisson à feu doux pendant 8 minutes. Incorporez 125 g d'épinards détaillés en morceaux, puis faites cuire encore 5 minutes jusqu'à ce que les pâtes et les épinards soient tendres. Salez, poivrez, garnissez de muscade, de parmesan et de croûtons avant de servir.

rösti aux tomates et aux trois fromages

Pour **2 personnes**
Préparation **20 minutes**
Cuisson **25 minutes**

400 g de **pommes de terre** à chair ferme
½ petit **oignon** râpé
1 c. à c. d'**origan**
25 g de **beurre**
1 c. à s. d'**huile d'olive**
3 petites **tomates** coupées en rondelles
50 g de **gruyère** râpé
75 g de **mozzarella** coupée en tranches
2 c. à s. de **parmesan** fraîchement râpé
1 poignée d'**olives noires** dénoyautées
sel et **poivre**
petites feuilles de **basilic** pour décorer

Râpez grossièrement les pommes de terre, puis épongez-les avec du papier absorbant. Dans un saladier, mélangez-les avec l'oignon et l'origan. Salez et poivrez.

Faites fondre le beurre avec l'huile dans une poêle moyenne à fond épais. Couvrez le fond avec la préparation aux pommes de terre, en égalisant la surface. Faites cuire 10 minutes à feu très doux. Soulevez le bord pour vérifier la cuisson. Retournez le rösti et prolongez la cuisson de 5 à 10 minutes.

Disposez les rondelles de tomates à la surface en les poivrant. Parsemez de gruyère et couvrez avec la mozzarella. Garnissez de parmesan et d'olives. Faites cuire 5 minutes sous le gril préchauffé à chaleur moyenne. Décorez de feuilles de basilic avant de servir avec une salade verte.

Röstis aux champignons Râpez 375 g de pommes de terre à chair ferme, puis épongez-les. Mélangez-les avec 1 oignon émincé, 1 cuillerée à soupe d'aneth haché, ½ cuillerée à café de sel, 15 g de farine et 1 œuf battu. Faites chauffer un peu d'huile dans une poêle antiadhésive, divisez la préparation en 8 portions et faites-les frire 3 à 4 minutes de chaque côté. Gardez au chaud. Pour la sauce, faites revenir 2 échalotes hachées et 1 gousse d'ail pilée 5 minutes dans 25 g de beurre fondu. Ajoutez 375 g de champignons de Paris et faites-les sauter 5 minutes. Mélangez 2 cuillerées à soupe d'aneth haché, 6 cuillerées à soupe de crème aigre et 2 cuillerées à café de sauce au raifort. Salez et poivrez avant de servir avec les röstis.

soupe haricots verts-miso-nouilles

Pour **2 personnes**
Préparation **10 minutes**
Cuisson **10 minutes**

3 c. à s. de **miso brun**
1 l de **bouillon de légumes** (page 190)
25 g de **gingembre frais** râpé
2 gousses d'**ail** finement émincées
1 petit **piment rouge fort**, épépiné et finement émincé
100 g de **nouilles soba**, complètes ou ordinaires
1 botte d'**oignons blancs** finement émincés
100 g de **petits pois** frais ou surgelés
250 g de **haricots verts**, épluchés et coupés en morceaux
3 c. à s. de **mirin**
1 c. à s. de **sucre**
1 c. à s. de **vinaigre de riz**

Dans une casserole, délayez le miso avec un peu de bouillon de légumes de manière à obtenir une préparation épaisse et homogène. Allongez-la avec un peu de bouillon, puis versez le reste. Ajoutez le gingembre, l'ail, le piment, et portez au point de frémissement.

Baissez le feu au minimum avant d'incorporer les nouilles. Remuez pendant 5 minutes.

Ajoutez les oignons, les petits pois, les haricots verts, le mirin, le sucre et le vinaigre.

Faites cuire 1 à 2 minutes à feu doux jusqu'à ce que les légumes soient légèrement tendres. Servez aussitôt la soupe dans des bols.

Soupe de miso au tofu Préparez un bouillon dashi en faisant bouillir 15 g d'algues kombu dans 2 litres d'eau ; écumez la surface. Ajoutez 1 ½ cuillerée à soupe de flocons de bonite séché et laissez frémir 20 minutes à découvert. Incorporez hors du feu ½ cuillerée à soupe de flocons de bonite séché et laissez reposer 5 minutes. Filtrez, puis remettez dans la casserole. Délayez 2 cuillerées à soupe de miso rouge ou blanc dans un peu de bouillon dashi. Ajoutez le mélange dans le bouillon par cuillerées successives, en remuant pour le dissoudre. Détaillez 1 petit poireau en julienne et 125 g de tofu en dés avant de les incorporer dans la soupe chaude avec 1 cuillerée à soupe d'algues wakamé. Garnissez de ciboulette hachée.

polenta pimentée et tomates cerises

Pour **4 personnes**
Préparation **10 minutes**
Cuisson **30 minutes**

3 c. à s. d'**huile d'olive au piment**
1 gousse d'**ail** pilée
25 g de **parmesan** fraîchement râpé
100 g de **pesto de tomates séchées** (voir ci-contre)
500 g de **polenta** cuite
250 g de **tomates cerises** coupées en deux
½ petit **oignon rouge** finement émincé
15 g de **persil** ciselé
15 g de **ciboulette** ciselée
50 g d'**olives noires** émincées
50 g de **pignons de pin**
2 c. à s. de **vinaigre balsamique**
sel

Mélangez 1 cuillerée à soupe d'huile avec l'ail, le parmesan et le pesto de tomates séchées. Coupez la polenta en deux horizontalement, puis chaque moitié en deux pour obtenir 4 gros morceaux. Divisez-les en deux horizontalement et rassemblez les moitiés pour former 4 sandwichs avec la garniture au pesto de tomates séchées.

Rangez les sandwichs dans un plat à four, puis enfournez 15 minutes dans le four préchauffé à 190 °C.

Pendant ce temps, mélangez les tomates cerises dans un saladier avec l'oignon, le persil, la ciboulette, les olives, les pignons de pin et un peu de sel. Couvrez la polenta avec la préparation et enfournez de nouveau 15 minutes.

Battez le reste d'huile avec le vinaigre balsamique. Dressez les sandwichs de polenta sur des assiettes et arrosez-les avec l'assaisonnement. Servez avec une salade de roquette.

Pesto de tomates séchées Égouttez 125 g de tomates séchées à l'huile avant de les hacher finement. Mixez-les avec 50 g de pignons de pin, 2 gousses d'ail et 65 g de parmesan râpé. Mélangez sous forme de pâte avec 125 g d'huile d'olive, salez et poivrez. Ce condiment se conserve 5 jours au réfrigérateur dans un récipient hermétique.

soupe de poivrons rouges

Pour **4 personnes**
Préparation **15 minutes**
Cuisson **35 minutes**

2 **oignons** finement hachés
2 c. à s. d'**huile d'olive**
1 gousse d'**ail** pilée
3 **poivrons rouges**, épépinés et hachés grossièrement
2 **courgettes** coupées en fines rondelles
900 ml de **bouillon de légumes** (page 190) ou d'**eau**
sel et **poivre**

Pour décorer
yaourt ou **crème fraîche épaisse**
ciboulette ciselée

Faites dorer les oignons 5 minutes avec l'huile d'olive dans une grande casserole. Ajoutez l'ail et faites-le revenir 1 minute.

Incorporez les poivrons et la moitié des courgettes, faites-les rissoler 5 à 8 minutes.

Versez le bouillon ou l'eau, salez et poivrez. Portez à ébullition, couvrez et laissez frémir 20 minutes.

Lorsque les légumes sont tendres, mixez la préparation en plusieurs fois pour obtenir une soupe veloutée. Transvasez dans la casserole. Salez, poivrez et réchauffez. Garnissez avec le reste de courgettes, du yaourt ou de la crème fraîche et de la ciboulette avant de servir. Cette soupe colorée se déguste aussi bien chaude que froide.

Poivrons à la provençale Faites blondir 2 oignons émincés dans 1 cuillerée à soupe d'huile d'olive. Ajoutez 4 poivrons rouges émincés, 1 gousse d'ail pilée, et prolongez la cuisson de 5 minutes. Mélangez 400 g de tomates en boîte et 2 cuillerées à soupe d'herbes ciselées. Salez et poivrez. Portez à ébullition, puis laissez frémir 15 minutes à découvert. Servez chaud ou froid.

poivrons et poireaux braisés au balsamique

Pour **4 personnes**
Préparation **5 minutes**
Cuisson **20 minutes**

2 c. à s. d'**huile d'olive**
2 **poireaux** coupés en tronçons de 1 cm
1 **poivron orange** épépiné et coupé en morceaux de 1 cm
1 **poivron rouge** épépiné et coupé en morceaux de 1 cm
3 c. à s. de **vinaigre balsamique**
1 bouquet de **persil plat** ciselé
sel et **poivre**

Faites chauffer l'huile d'olive dans une casserole et faites revenir les poireaux et les poivrons. Couvrez et laissez mijoter 10 minutes.

Versez le vinaigre balsamique et poursuivez la cuisson 10 minutes à découvert. Les légumes doivent être colorés par le vinaigre, et le liquide entièrement absorbé.

Salez, poivrez et saupoudrez de persil avant de servir.

Oignons braisés au vinaigre balsamique Dans une casserole, mettez 500 g d'oignons grelots pelés, 3 cuillerées à soupe de vinaigre balsamique, 3 cuillerées à soupe d'huile d'olive, 40 g de cassonade, 2 cuillerées à soupe de purée de tomates séchées, quelques brindilles de thym, 1 poignée de raisins de Smyrne et 300 ml d'eau. Portez à ébullition, puis laissez frémir 40 minutes jusqu'à ce que les oignons soient tendres et la sauce sirupeuse. Servez chaud ou froid.

riz frit épicé et salade d'épinards

Pour **3 ou 4 personnes**
Préparation **10 minutes**
Cuisson **10 minutes**

4 **œufs**
2 c. à s. de **xérès**
2 c. à s. de **sauce de soja claire**
1 botte d'**oignons blancs**
4 c. à s. d'**huile pour friture** (page 11)
75 g de **noix de cajou** non salées
1 **poivron vert** épépiné et finement haché
½ c. à c. de **cinq-épices chinois**
250 g de **riz à longs grains** cuit
150 g d'**épinards**
100 g de **germes de soja** ou autres graines germées
sel et **poivre**
sauce aux piments doux pour servir

Battez les œufs avec le xérès et 1 cuillerée à soupe de sauce de soja dans un petit saladier. Coupez le vert de 2 oignons blancs horizontalement, puis dans la longueur pour obtenir de fines lanières. Laissez-les tremper dans de l'eau glacée jusqu'à ce qu'elles s'enroulent. Réservez-les. Hachez finement les oignons restants, en séparant le blanc du vert.

Faites chauffer la moitié de l'huile dans une sauteuse ou un wok et faites revenir le vert des oignons et les noix de cajou. Déposez-les sur une assiette.

Faites sauter le blanc des oignons 1 minute. Ajoutez les œufs battus et remuez pour obtenir des œufs brouillés.

Incorporez le poivron et le cinq-épices avec le reste d'huile, puis prolongez la cuisson de 1 minute. Ajoutez le riz et les épinards avec le reste de sauce de soja, en remuant jusqu'à ce que les épinards flétrissent.

Remettez les noix de cajou et le vert des oignons dans la sauteuse avec les germes, salez et poivrez. Dressez le tout sur des assiettes et décorez avec le vert d'oignons hachés avant de servir avec la sauce aux piments doux.

Riz frit épicé au maïs Remplacez les épinards par ½ petit chou chinois détaillé en lanières et 200 g de petits épis de maïs émincés. Ajoutez-les dans la sauteuse à l'étape 4, avec le poivron.

gratin de haricots rouges au yaourt

Pour **4 personnes**
Préparation **15 minutes**
Cuisson **1 heure**

2 c. à c. de **graines de cumin**
2 c. à c. de **graines de fenouil**
10 gousses de **cardamome**
800 g de **haricots rouges** en boîte égouttés
4 c. à s. d'**huile d'olive**
1 gros **oignon** haché
1 **piment rouge** de force moyenne, épépiné et finement émincé
le **zeste** finement râpé de 1 **citron**
2 gousses d'**ail** pilées
25 g de **chapelure**
100 g d'**amandes** mondées, hachées
50 g de **raisins secs** hachés
2 **œufs**
300 g de **yaourt**
2 c. à c. de **miel**
50 g de **cheddar** râpé
3 **feuilles de laurier**
sel et **poivre**

Pilez le cumin, le fenouil et la cardamome dans un mortier. Jetez les gousses de cardamome, écrasez les graines. Mélangez les épices aux haricots rouges dans un saladier en les écrasant légèrement avec une fourchette contre les parois.

Faites chauffer l'huile d'olive dans une petite plaque à rôtir ou une cocotte, puis faites blondir l'oignon 5 minutes. Ajoutez deux tiers du piment, en réservant le reste pour la décoration, le zeste de citron, l'ail, et retirez du feu.

Incorporez aux haricots rouges la chapelure, les amandes, les raisins secs, 1 œuf et un peu de sel. Mélangez puis transvasez dans la plaque à rôtir. Égalisez la surface.

Battez le deuxième œuf dans un saladier avec le yaourt et le miel, salez et poivrez. Nappez la préparation avec ce mélange, parsemez de cheddar râpé. Répartissez les feuilles de laurier et le piment restant à la surface. Enfournez environ 50 minutes à 160 °C. Servez sans plus attendre avec une salade de laitue iceberg.

Salade de laitue iceberg Détaillez une laitue iceberg en lanières dans un saladier. Ajoutez ¼ de concombre pelé, coupé en fines rondelles, et quelques oignons blancs finement hachés. Mélangez le jus et le zeste râpé de 1 citron vert avec 3 cuillerées à soupe d'huile d'arachide et 1 cuillerée à soupe de miel liquide. Salez et poivrez. Remuez avant de servir.

risotto vert

Pour **4 personnes**
Préparation **10 minutes**
Cuisson **30 minutes**

125 g de **beurre**
1 c. à s. d'**huile d'olive**
1 gousse d'**ail** pilée ou hachée
1 **oignon** finement haché
300 g de **riz pour risotto**
1 l de **bouillon de légumes** chaud (page 190)
125 g de **haricots verts** coupés en tronçons
125 g de **petits pois**
125 g de **fèves**
125 g d'**asperges** coupées en petits morceaux
125 g d'**épinards** hachés
75 ml de **vermouth sec** ou de **vin blanc**
2 c. à s. de **persil** ciselé
125 g de **parmesan** fraîchement râpé
sel et **poivre**

Faites fondre la moitié du beurre avec l'huile d'olive dans une grande casserole. Faites revenir l'ail et l'oignon 5 minutes à feu doux.

Versez le riz et enrobez-le de matière grasse. Versez du bouillon de légumes à fleur et remuez. Laissez frémir en remuant régulièrement.

Quand le liquide est en partie absorbé, mouillez avec du bouillon et remuez. Continuez à verser le bouillon par petites quantités, en remuant, jusqu'à ce qu'il soit absorbé avant chaque ajout. Comptez environ 25 minutes de cuisson : le riz doit être tendre, mais légèrement croquant. Incorporez les légumes et le vermouth ou le vin et poursuivez la cuisson 2 minutes.

Retirez du feu, salez et poivrez. Incorporez le reste de beurre, le persil et le parmesan avant de servir.

Risotto au safran et à la tomate Laissez de côté les petits pois, les asperges et les épinards. Faites dorer 75 g de pignons de pin dans le beurre fondu, égouttez, faites revenir l'ail et les oignons. Émiettez 1 cuillerée à café de filaments de safran en ajoutant le riz. Incorporez 300 g de tomates cerises coupées en deux à la fin de l'étape 3, laissez chauffer 2 à 3 minutes. Incorporez les pignons de pin et des feuilles de basilic en lanières.

gratin citrouille-poireaux-pommes de terre

Pour **4 personnes**
Préparation **30 minutes**
Cuisson **2 heures**

4 c. à s. de **sauce au raifort** chaude
1 c. à s. de **thym** effeuillé
300 ml de **crème fraîche épaisse**
1 gros **poireau** détaillé en fines lanières
100 g de **noix** hachées grossièrement
500 g de **citrouille**
750 g de **pommes de terre** à chair ferme, coupées en fines rondelles
150 ml de **bouillon de légumes** (page 190)
50 g de **chapelure**
40 g de **beurre** fondu
2 c. à s. de **graines de citrouille**
sel

Mélangez la sauce au raifort avec le thym et la moitié de la crème fraîche dans un grand saladier. Ajoutez le poireau et les noix en en réservant 2 cuillerées à soupe. Remuez soigneusement.

Coupez la citrouille en gros morceaux en jetant l'écorce et les graines, puis détaillez-les en fines tranches.

Garnissez le fond d'un plat à four de 2 litres avec la moitié des pommes de terre. Salez légèrement avant de couvrir avec la moitié de la citrouille. Étalez dessus la préparation au poireau en égalisant la surface. Répartissez dessus le reste de citrouille, puis le reste de pommes de terre. Salez.

Allongez le reste de crème fraîche avec le bouillon de légumes, puis versez-la sur les pommes de terre. Mélangez la chapelure avec le beurre puis nappez-en la préparation. Parsemez avec les graines de citrouille et le reste des noix. Couvrez de papier d'aluminium et enfournez 1 heure dans le four préchauffé à 180 °C. Retirez le papier d'aluminium, puis prolongez la cuisson de 45 à 60 minutes. La surface doit être dorée.

Gratin épicé de citrouille aux pommes de terre
Remplacez la sauce au raifort par 1 piment finement haché ou 50 g de gingembre frais râpé. Remplacez le poireau par 1 grosse botte d'oignons blancs, hachés. Enfournez comme ci-dessus.

soupe au miso rapide et facile

Pour **4 personnes**
Préparation **10 minutes**
Cuisson **10 minutes**

1 portion de **bouillon de légumes** (page 190)
2 c. à s. de **miso**
125 g de **champignons shiitake** émincés
200 g de **tofu** coupé en cubes

Faites chauffer le bouillon de légumes dans une casserole jusqu'au point de frémissement.

Ajoutez le miso, les champignons, le tofu, et laissez frémir 5 minutes. Servez aussitôt avec du riz gluant.

Riz gluant Lavez 300 g de riz gluant plusieurs fois, puis égouttez-le. Laissez-le tremper 1 heure dans de l'eau froide. Égouttez-le et lavez-le de nouveau. Mettez-le dans une casserole avec 300 ml d'eau et portez à ébullition. Couvrez et laissez frémir 20 minutes jusqu'à ce que l'eau soit absorbée et le riz tendre. Ajoutez de l'eau si le riz s'assèche avant d'être cuit.

annexe

table des recettes

volaille + gibier

poisson

viande

végétarien

découvrez toute la collection